ISBN: 0-9821196-3-1
ISBN 13: 978-0-9821196-3-1

You can visit us online at:

www.GrowingWithGrammar.com

Printed in the United States of America.

Ver. 1.0.0-8

Preface

For many years, we have been aware that educators around the world are in need of a thorough grammar program that can be used by anyone regardless of their background or beliefs. *Growing With Grammar* was developed to fill that need in the education community.

We have designed this comprehensive program to be user-friendly for both teacher and student by separating the subject matter into two books, the Student Manual and the Student Workbook (which includes a separate Answer Key). The Student Manual contains the learning portion of the subject matter, and the Student Workbook contains the hands-on portion which reinforces the lessons taught in the Student Manual. If desired, independent learners can work alone by utilizing both the Student Manual and Student Workbook since the Answer Key is separate. To support each concept learned in the Student Manual, there is a corresponding workbook lesson. Review questions are integrated within each workbook lesson to constantly provide reinforcement of previous lessons learned. In addition, there are separate review lessons at the end of each chapter. There are 108 lessons in the Level 8 program, which includes 20 review lessons.

Also, we have selected spiral binding for our books to ensure that they lie flat when open. The spiral binding on the workbook is at the top of the page to provide equal, unobstructed access for both right- and left-handed students.

Thank you for choosing *Growing With Grammar*. We look forward to the opportunity to provide you with the best tools possible to educate your children.

Table of Contents

Chapter 1

Sentences

1.1 Sentences

A group of words that expresses a **complete thought** is called a **sentence**. A **sentence** always **begins** with a **capital letter** and **ends** with a **punctuation mark**.

A group of words that does **not** express a complete thought is called a **fragment**.

Sentence: The girl ate her lunch.

Fragment: Ate her lunch.

In the first example, the group of words is a **sentence** because it is a **complete thought**. In the second example, the group of words is a **fragment** because it is **not** a complete thought.

More examples:

Sentence: These peanuts are crunchy.
Fragment: These peanuts.

Sentence: Arthur felt very nervous.
Fragment: Felt very nervous.

Sentence: My brother saw two lizards.
Fragment: My brother.

There are **four** different types of **sentences**: **statement (declarative)**, **command (imperative)**, **question (interrogative)**, and **exclamation (exclamatory)**.

A **statement**, also known as a **declarative** sentence, **tells** something or **states** a **fact**. Use a **period** at the **end** of a **statement**.

Cecilia walked in the woods.

Jonah guided his canoe through the water.

A **command**, also known as an **imperative** sentence, **makes** a **request** or **gives** a **command**. Use a **period** at the **end** of a **command**.

You must go if you get the chance.

You should read the directions carefully.

You is always the **subject** of a **command** whether or not the word itself actually appears in the sentence. We say that the **subject** is **understood** to be **you**.

(You) Come to the store with me.

(You) Please try the other door.

A **question**, also known as an **interrogative** sentence, asks for **information**. Use a **question mark** at the **end** of a **question**.

Have you been to California?

Did you make your bed?

An **exclamation**, also known as an **exclamatory** sentence, shows **strong feeling** or **emotion**. Use an **exclamation mark** at the **end** of an **exclamation**.

That looks dangerous!

I scored three goals!

1.2 Complete and Simple Subjects

Every sentence consists of two parts: the **subject** part and the **predicate** part.

The **subject** part is the section of the sentence that includes all of the words that tell **who** or **what** the sentence is about and can consist of several words or just one word. This is called the **complete subject**.

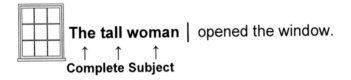

The tall woman │ opened the window.
        ↑   ↑   ↑
Complete Subject

In this example, the **complete subject** is **the tall woman**. These words tell **who** the sentence is about.

More examples:

Their new car is black.

*(**Their new car** is the **complete subject** of this sentence. It tells **what** the sentence is about.)*

Marianne has gone to the circus.

*(**Marianne** is the **complete subject** of this sentence. It tells **who** the sentence is about.)*

The old dog barked.

*(**The old dog** is the **complete subject** of this sentence. It tells **what** the sentence is about.)*

While the **complete subject** contains **all** of the words in the **subject** part, the **simple subject** is the **main word** or **words** (noun, pronoun, or group of words acting as a noun) in the **complete subject**.

The tall woman | opened the window.
   ↑   ↑   ↑
Complete Subject

The tall <u>woman</u> | opened the window.
      ↑
Simple Subject

In this example, the **complete subject** is **the tall woman**. The **simple subject** is the noun **woman**. **Woman** is the **main word** in the **complete subject**.

More examples:

Their new <u>car</u> is black.

(**Car** is the **simple subject** in this sentence. It is the **main word** in the complete subject **their new car**.)

<u>Marianne</u> has gone to the circus.

(**Marianne** is the **simple subject** in this sentence. It is the **main word** in the complete subject **Marianne**. Remember, the subject part can be one or more words.)

The old <u>dog</u> barked.

(**Dog** is the **simple subject** in this sentence. It is the **main word** in the complete subject **the old dog**.)

1.3 Complete and Simple Predicates

The **predicate** part is the section of the sentence that includes all of the words that tell **what** the subject **does** or **is** and can consist of several words or just one word. This is called the **complete predicate**.

The tall woman | **opened the window.**
↑   ↑   ↑
Complete Predicate

In this example, the **complete predicate** is **opened the window.** These words tell what the subject **did**.

More examples:

Their new car **is black.**

*(**Is black** is the **complete predicate** of this sentence. It tells **what** the subject **is**.)*

Marianne **has gone to the circus.**

*(**Has gone to the circus** is the **complete predicate** of this sentence. It tells **what** the subject **did**.)*

The old dog **barked.**

*(**Barked** is the **complete predicate** of this sentence. It tells **what** the subject **did**.)*

While the **complete predicate** contains **all** of the words in the **predicate** part, the **simple predicate** is the **verb** or **verb phrase** in the **complete predicate**.

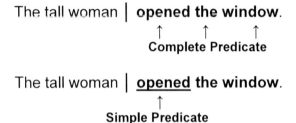

In this example, the **complete predicate** is **opened the window**. The **simple predicate** is the verb **opened**. **Opened** is the **main word** in the **complete predicate**. It tells **what** the subject **did**.

More examples:

Their new car **is black**.

*(**Is** is the **simple predicate** of this sentence. It is the **verb** in the complete predicate **is black**.)*

Marianne **has gone** to the circus.

*(**Has gone** is the **simple predicate** of this sentence. It is the **verb phrase** in the complete predicate **has gone to the circus**.)*

The old dog **barked**.

*(**Barked** is the **simple predicate** of this sentence. It is the **verb** in the complete predicate **barked**. Remember, the predicate part can be one or more words.)*

1.4 Diagramming Subjects and Predicates

To make a basic sentence **diagram**, place the
simple subject and the **simple predicate** on a
horizontal line. Place the **simple subject** on the left
side of the diagram and the **simple predicate** on the
right. A short vertical line divides the subject area from
the predicate area.

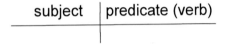

Example: **Bryan** changed the channel.

↑   ↑
Simple   Simple
Subject   Predicate

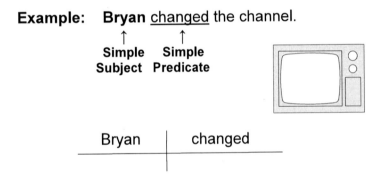

When diagramming a sentence, remember to
capitalize all words in the **diagram** as they are written
in the sentence.

More examples:

My **sister** <u>is</u> tired.   sister | is
_____|_____

Sonja <u>writes</u> letters.   Sonja | writes
_____|_____

The **road** <u>was</u> bumpy.   road | was
_____|_____

Mom <u>made</u> sandwiches.   Mom | made
_____|_____

I <u>am</u> the babysitter.   I | am
_____|_____

If the subject **you** is understood in a **command**, then write **you** in parentheses **(you)** in the **subject** area. Place the **predicate (verb)** in the **predicate** area.

Examples: Come to the store with me.

(you)	Come

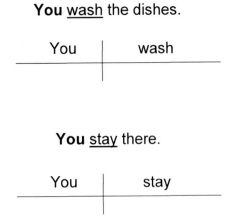

Try the other door.

(you)	Try

Of course, if the subject **you** is stated in the **command**, then write it in the subject area without parentheses.

You wash the dishes.

You	wash

You stay there.

You	stay

To **diagram** a **question**, you must first find the **subject** by **rephrasing** the **question** as a **statement**. This will place the **subject** before the **predicate** (verb).

Question: Have you mowed the lawn?

Rephrased: **You** <u>have mowed</u> the lawn.

you	Have mowed

Diagrammed:

In this example, the **subject** of the sentence is **you**. The **predicate** is the verb phrase **have mowed**. A **verb phrase** contains **more than one verb** (such as a **helping verb** and a **main verb**). See Lesson 3.2.

More examples:

Question: Are we late?

Rephrased: **We** <u>are</u> late.

we	Are

Diagrammed:

Question: Did he paint this picture?

Rephrased: **He** <u>did paint</u> this picture.

Diagrammed:
he	Did paint

Question: Is that vase new?

Rephrased: That **vase** <u>is</u> new.

Diagrammed:
vase	is

Question: Has Tom walked home?

Rephrased: **Tom** <u>has walked</u> home.

Diagrammed:
Tom	Has walked

Remember to **capitalize** all words in the **diagram** as they are written in the original sentence.

1.5 Compound Subjects and Predicates

Sentences will often have a **compound subject**. A **compound subject** is **two or more subjects** that **share** the same **verb** or **verb phrase**.   The subjects are joined by a **conjunction** (**and** or **or**).

Lamont *or* **Jason** <u>washed</u> the dishes.

Her **pencil**, **paper**, *and* **notebook** <u>fell</u> to the floor.

In the first example, the simple subjects **Lamont** and **Jason** make up a **compound subject**. They share the verb **washed**. In the second example, the simple subjects **pencil**, **paper**, and **notebook** make up a **compound subject**. They share the verb **fell**.

More examples:

Wade, **Ella**, *and* **Beau** <u>rode</u> horses.

The **brownies** *and* **cookies** <u>are</u> in the pan.

The **trees**, **bushes**, *and* **flowers** <u>swayed</u> in the wind.

Diagram a sentence with a **compound subject** like this:

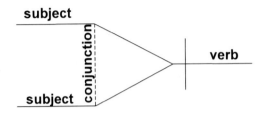

Examples:

Lamont or **Jason** <u>washed</u> the dishes.

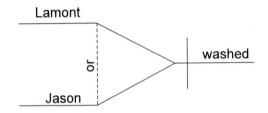

The **brownies** and **cookies** <u>are</u> in the pan.

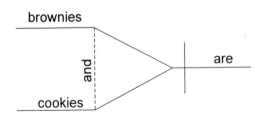

Sentences with **more than two subjects** require an addition of one or more horizontal lines added to the **subject** area of the diagram. Move the **conjunction** to the other side of the dotted line.

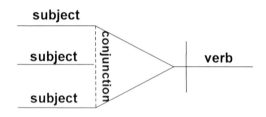

Examples:

Her **pencil**, **paper**, and **notebook** <u>fell</u> to the floor.

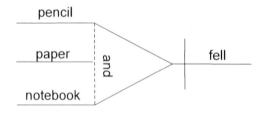

Wade, **Ella**, and **Beau** <u>rode</u> horses.

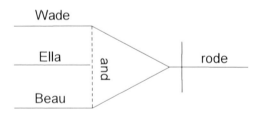

In addition, sentences will often have a **compound predicate**. A **compound predicate** is **two or more verbs** that tell what the subject is doing. The verbs are joined by a **conjunction** (**and** or **or**).

<u>Anita</u> **dropped** *and* **broke** the glass.

The small <u>girl</u> **ran**, **skipped**, *and* **jumped**.

In the first example, the verbs **dropped** and **broke** make up a **compound predicate**. They share the subject **Anita**. In the second example, the verbs **ran**, **skipped**, and **jumped** make up a **compound predicate**. They share the subject **girl**.

More examples:

<u>Dad</u> **sliced** *and* **served** the turkey.

The <u>crowd</u> **laughed**, **clapped**, *and* **cheered**.

<u>Jacob</u> **shouted** *and* **waved** to his friend.

Diagram a sentence with a **compound predicate** like this:

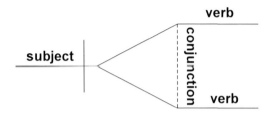

Examples:

Anita **dropped** *and* **broke** the glass.

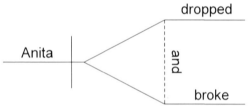

Dad **sliced** *and* **served** the turkey.

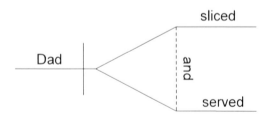

Sentences with **more than two verbs** require an addition of one or more horizontal lines added to the **predicate** area of the diagram. Move the **conjunction** to the other side of the dotted line.

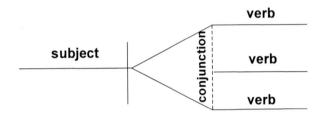

Examples:

The small <u>girl</u> **ran**, **skipped**, *and* **jumped**.

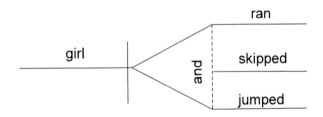

The <u>crowd</u> **laughed**, **clapped**, *and* **cheered**.

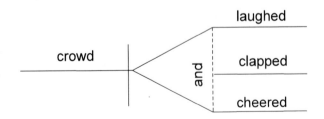

Sometimes a sentence has both a **compound subject** and a **compound predicate**.

The **girls** and **boys** <u>laughed</u> and <u>played</u>.

In this example, the words **girls** and **boys** make up a **compound subject**. The words **laughed** and **played** make up a **compound predicate**.

Diagram a sentence with a **compound subject** and a **compound predicate** like this:

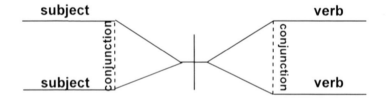

Example:

The **girls** and **boys** <u>laughed</u> and <u>played</u>.

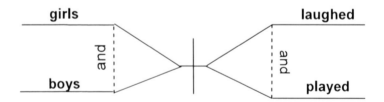

Sentences with **more than two subjects** or **more than two verbs** require an addition of one or more horizontal lines added to the **subject** or **predicate** area of the diagram. Move the **conjunction** to the other side of the dotted line.

Examples:

Tia, **Jasmine**, and **Joy** <u>washed</u> and <u>waxed</u> the car.

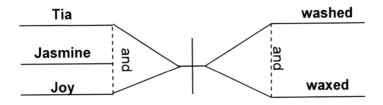

Mom and **Dad** <u>bought</u>, <u>wrapped</u>, and <u>mailed</u> the gift.

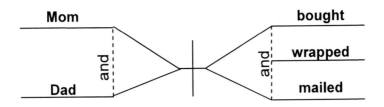

Brady, **Joe**, and **I** <u>vacuumed</u>, <u>dusted</u>, and <u>cleaned</u>.

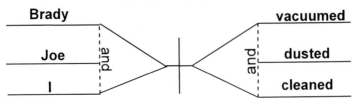

1.6 Run-on Sentences

Two or more sentences related in meaning that run together **without** correct **punctuation** to join or separate them is called a **run-on sentence**.

First, a **run-on** can be **two sentences** joined **without** any **punctuation**.

Run-On: Jeremy skied for two hours he fell twice.

Also, a **run-on** can be **two sentences** joined **only** with a **comma**. This is called a **comma splice**. Two sentences joined together need more than just a comma.

Comma
Splice: The radio was broken, Dad repaired it.

Run-on sentences can be corrected in different ways. You can correct them by using a **comma** with a **coordinating conjunction** between the two sentences.

Correct: Jeremy skied for two hours, **and** he fell twice.

Correct: The radio was broken, **but** Dad repaired it.

You can simply use a **period** to **separate** the two sentences of a **run-on**.

Correct: Jeremy skied for two hours. He fell twice.

Correct: The radio was broken. Dad repaired it.

Also, a run-on can be corrected with the use of a **semicolon**. Use a **semicolon** to join two sentences instead of using a **comma** and a **conjunction**.

Correct: Jeremy skied for two hours; he fell twice.

Correct: The radio was broken; Dad repaired it.

More examples:

Run-on: The car is new it has a flat tire.

Correct: The car is new, **but** it has a flat tire.

Correct: The car is new.   It has a flat tire.

Correct: The car is new; it has a flat tire.

Comma Splice: He went fishing today, he caught two fish.

Correct: He went fishing today, **and** he caught two fish.

Correct: He went fishing today. He caught two fish.

Correct: He went fishing today; he caught two fish.

Do **not** make the mistake of using a coordinating conjunction with a **semicolon**. A **semicolon** takes the place of a comma and its conjunction.

Incorrect: It rained all day; *and* we had to stay inside.

Correct: It rained all day; we had to stay inside.

More examples:

Incorrect: Joe had a garage sale; *and* he made forty dollars.
Correct: Joe had a garage sale; he made forty dollars.

Incorrect: The sky was blue yesterday; *but* it rained today.
Correct: The sky was blue yesterday; it rained today.

A **run-on** can also be corrected by using a **conjunctive adverb**. We will discuss this further in Lesson 8.3.

Chapter 1 Review - Part 1

Sentences: A group of words that expresses a **complete thought** is called a **sentence**. A **sentence** always **begins** with a **capital letter** and **ends** with a **punctuation mark**.

A group of words that does **not** express a complete thought is called a **fragment**.

There are **four** different types of **sentences**: **statement (declarative)**, **command (imperative)**, **question (interrogative)**, and **exclamation (exclamatory)**.

A **statement**, also known as a **declarative** sentence, **tells** something or **states** a **fact**. Use a **period** at the **end** of a **statement**.

A **command**, also known as an **imperative** sentence, **makes** a **request** or **gives** a **command**. Use a **period** at the **end** of a **command**.

You is always the **subject** of a **command** whether or not the word itself actually appears in the sentence. We say that the **subject** is **understood** to be **you**.

A **question**, also known as an **interrogative** sentence, asks for **information**. Use a **question mark** at the **end** of a **question**.

An **exclamation**, also known as an **exclamatory** sentence, shows **strong feeling** or **emotion**. Use an **exclamation mark** at the **end** of an **exclamation**.

Complete and Simple Subjects: Every sentence consists of two parts: the **subject** part and the **predicate** part.

The **subject** part is the section of the sentence that includes all of the words that tell **who** or **what** the sentence is about and can consist of several words or just one word. This is called the **complete subject**.

While the **complete subject** contains **all** of the words in the **subject** part, the **simple subject** is the **main word** or **words** (noun, pronoun, or group of words acting as a noun) in the **complete subject**.

Complete and Simple Predicates: The **predicate** part is the section of the sentence that includes all of the words that tell **what** the subject **does** or **is** and can consist of several words or just one word. This is called the **complete predicate**.

While the **complete predicate** contains **all** of the words in the **predicate** part, the **simple predicate** is the **verb** or **verb phrase** in the **complete predicate**.

Chapter 1 Review - Part 2

Diagramming Subjects and Predicates: To make a basic sentence **diagram**, place the **simple subject** and the **simple predicate** on a horizontal line. Place the **simple subject** on the left side of the diagram and the **simple predicate** on the right. A short vertical line divides the subject area from the predicate area.

subject	predicate (verb)

When diagramming a sentence, remember to **capitalize** all words in the **diagram** as they are written in the sentence.

If the subject **you** is understood in a **command**, then write **you** in parentheses **(you)** in the **subject** area. Place the **predicate (verb)** in the **predicate** area.

Come to the store with me.

(you)	Come

If the subject **you** is stated in the **command**, then write it in the subject area without parentheses.

You wash the dishes.

You	wash

To **diagram** a **question**, you must first find the **subject** by **rephrasing** the **question** as a **statement**.

Question: Have you mowed the lawn?

Rephrased: **You** <u>have mowed</u> the lawn.

Diagrammed:

you	Have mowed

Compound Subjects and Predicates: Sentences will often have a **compound subject**. A **compound subject** is **two or more subjects** that **share** the same **verb** or **verb phrase**.   The subjects are joined by a **conjunction** (**and** or **or**).

   Diagram a sentence with a **compound subject** like this:

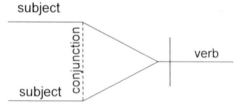

   Diagram a sentence with more than two **subjects** like this:

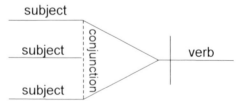

Sentences will often have a **compound predicate**. A **compound predicate** is **two or more verbs** that tell what the subject is doing. The verbs are joined by a **conjunction** (**and** or **or**).

Diagram a sentence with a **compound predicate** like this:

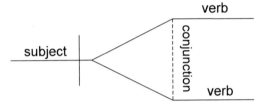

Diagram a sentence with more than two **verbs** like this:

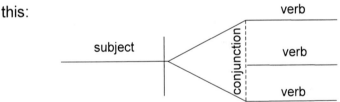

Diagram a sentence with a **compound subject** and a **compound predicate** like this:

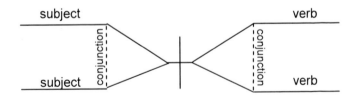

Diagram a sentence with multiple **subjects** and/or multiple **verbs** like this:

Tia, **Jasmine**, and **Joy** <u>washed</u> and <u>waxed</u> the car.

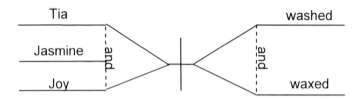

Mom and **Dad** <u>bought</u>, <u>wrapped</u>, and <u>mailed</u> the gift.

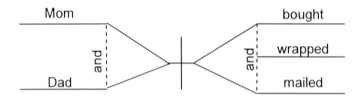

Brady, **Joe**, and **I** <u>vacuumed</u>, <u>dusted</u>, and <u>cleaned</u>.

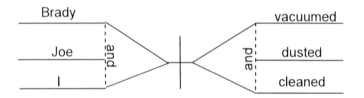

<u>**Run-on Sentences**</u>:   **Two or more sentences** related in meaning that run together **without** correct **punctuation** to join or separate them is called a **run-on sentence**.

First, a **run-on** can be **two sentences** joined **without** any **punctuation**.

Also, a **run-on** can be **two sentences** joined **only** with a **comma**. This is called a **comma splice**. Two sentences joined together need more than just a comma.

Run-on sentences can be corrected in different ways. You can correct them by using a **comma** with a **conjunction** between the two sentences.

You can simply use a **period** to **separate** the two sentences of a **run-on**.

Also, a run-on can be corrected with the use of a **semicolon**. Use a **semicolon** to join two sentences instead of using a **comma** and a **conjunction**.

Do **not** make the mistake of using a conjunction with a **semicolon**. A **semicolon** takes the place of a comma and its conjunction.

Chapter 2

Nouns and Pronouns

2.1 Nouns

A **noun** names a **person**, **place**, or **thing**.

Marcus cleaned the **garage** with a **broom**.
    ↑   ↑   ↑
Person   **Place**   **Thing**

In this example, the words **Marcus**, **garage**, and **broom** are nouns that name a **person**, a **place**, and a **thing**.

More examples:

Person

The **firefighter** departed.

A **woman** laughed.

We saw **James**.

Place

We visited the **park**.

Our **city** is large.

That **beach** is lovely.

Thing

Pass the **salt**.

The **dog** jumped.

Your **invitation** arrived.

A **concrete noun** names **things** you can **see** and **touch**.

An **abstract noun** names things that you cannot see such as an **idea** or a **feeling**.

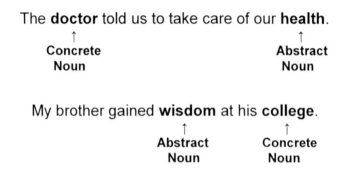

The **doctor** told us to take care of our **health**.

↑		↑
Concrete		Abstract
Noun		Noun

My brother gained **wisdom** at his **college**.

↑	↑
Abstract	Concrete
Noun	Noun

In these examples, the words **doctor** and **college** are **concrete nouns**. They are **nouns** you **can** see. The words **health** and **wisdom** are **abstract nouns**. They are **nouns** that you **cannot** see.

More examples of abstract nouns:

caring	courage	fear	patience
joy	friendship	pride	loneliness
sadness	truth	justice	hope
freedom	love	selfishness	kindness
direction	happiness	anger	goodness
peace	equality	loyalty	enthusiasm

There are two classes of nouns, **common nouns** and **proper nouns**.

A **common noun** names **any** person, place, or thing and is **not** capitalized.

A **proper noun** names a **particular** person, place, or thing. **Capitalize** each **important word** in a proper noun.

<u>**Common Nouns**</u>	<u>**Proper Nouns**</u>
inventor	George Washington Carver
country	Mongolia
movie	The Wizard of Oz
band	Beatles
city	Naples
dog	Buddy
neighbor	Mrs. Jones
continent	Africa
month	September

A **collective noun** is the general name of a **group** of **people**, **animals**, or **things**.

The **audience** cheered for the actor.

My father found a **family** of rabbits in our yard.

My sister picked a **bunch** of flowers.

In these examples, the words **audience**, **family**, and **bunch** are **collective nouns** that name a **group** of **people**, a **group** of **animals**, and a **group** of **things**.

More examples:

class	flock	convoy	staff
army	squadron	herd	swarm
tribe	crowd	fleet	committee
assembly	colony	orchestra	gang
set	nest	hive	bunch
team	pack	school	band
group	club	crew	cluster

2.2 Plural Nouns

A **singular noun** names **one** person, place, or thing. A **plural noun** names **more than one** person, place, or thing.

Add **-s** to most **nouns** to form the plural.

Singular	Plural	Singular	Plural
bank	banks	river	rivers
ship	ships	tree	trees
costume	costumes	house	houses

Add **-es** to most **nouns** ending in **s**, **ch**, **sh**, **x**, or **z**.

Singular	Plural	Singular	Plural
address	addresses	patch	patches
bush	bushes	box	boxes
dish	dishes	waltz	waltzes

Add **-s** to most **nouns** ending in **y** after a **vowel**.

Singular	Plural	Singular	Plural
alley	alleys	donkey	donkeys
highway	highways	monkey	monkeys
tray	trays	turkey	turkeys

Change **y** to **i** and add **-es** to most **nouns** ending in a **y** after a **consonant**.

Singular	Plural	Singular	Plural
lady	ladies	city	cities
majority	majorities	army	armies
spy	spies	injury	injuries

Add **-s** to most **nouns** ending in an **o** after a **vowel** and to **musical terms** ending in **o**.

<u>Singular</u>	<u>Plural</u>	<u>Singular</u>	<u>Plural</u>
patio	patio**s**	piano	piano**s**
kangaroo	kangaroo**s**	cello	cello**s**
zoo	zoo**s**	solo	solo**s**

Add **-es** to most **nouns** ending in an **o** after a **consonant**.

<u>Singular</u>	<u>Plural</u>	<u>Singular</u>	<u>Plural</u>
tomato	tomato**es**	echo	echo**es**
potato	potato**es**	tornado	tornado**es**
mosquito	mosquito**es**	hero	hero**es**

Add **-s** to many **nouns** ending in **f**.

<u>Singular</u>	<u>Plural</u>	<u>Singular</u>	<u>Plural</u>
roof	roof**s**	belief	belief**s**
cliff	cliff**s**	chief	chief**s**
gulf	gulf**s**	reef	reef**s**

For some **nouns**, **drop** the **f** or **fe** and add **-ves**.

<u>Singular</u>	<u>Plural</u>	<u>Singular</u>	<u>Plural</u>
leaf	lea**ves**	knife	kni**ves**
hoof	hoo**ves**	wife	wi**ves**
wolf	wol**ves**	life	li**ves**

2.3 Nouns with Special Plural Forms

Not all nouns require a new ending such as **-s** or **-es** to form the **plural**.

The **plural** of some nouns is formed in **irregular ways**.

My sister lost one **tooth**, but my brother lost two **teeth**.

Two **men** came to help the wounded **man**.

In these examples, the words **tooth** and **man** are **singular nouns**. The words **teeth** and **men** are their **plural forms**.

More examples:

Singular	Plural	Singular	Plural
man	men	woman	women
tooth	teeth	foot	feet
child	children	person	people
ox	oxen	goose	geese
mouse	mice	louse	lice

For some **nouns**, the **singular** is the same as the **plural** form.

We saw one **deer** in the field.

Two **deer** ran across the road.

In the first example, the word **deer** is a **singular noun**. It is referring to **one** deer. In the second example, the word **deer** is a **plural** noun. It is referring to **more than one** deer.

More examples:

<u>Singular</u>	<u>Plural</u>		<u>Singular</u>	<u>Plural</u>
sheep	sheep		deer	deer
bison	bison		moose	moose
salmon	salmon		trout	trout
swine	swine		fish	fish

The following **nouns** have the same **singular** and **plural form**, but they are often referred to as a **pair** of something.

Mom bought me a new pair of **pants**.

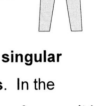

I have two old pairs of **pants**.

In the first example, the word **pants** is a **singular noun**. It is referring to **one** pair of **pants**. In the second example, the word **pants** is a **plural** noun. It is referring to **more than one** pair of **pants**.

Singular	Plural	Singular	Plural
scissors	scissors	pants	pants
binoculars	binoculars	slacks	slacks
pliers	pliers	shorts	shorts
glasses	glasses	goggles	goggles

Check the **dictionary** if you are unsure how to write a **plural noun**. In a dictionary, the abbreviation **pl.** stands for **plural**. When two choices are listed for the plural, the first choice is usually preferred.

2.4 Possessive Nouns

The **possessive case** of a **noun** shows **ownership** or **relationship**.

The **girl's** ring is small.

In this example, the word **girl's** is a **possessive noun** that shows **ownership**. The **ring** is **owned**.

Add an **apostrophe** and **-s ('s)** to form the **possessive** of **singular nouns**.

Singular Noun	Singular Possessive
coach	the **coach's** team
bus	the **bus's** windows
artist	the **artist's** painting
boss	the **boss's** car
Courtney	**Courtney's** hair
James	**James's** book

Add only an **apostrophe (')** to form the **possessive** of most **plural nouns** ending in **s**.

Plural Noun	**Plural Possessive**
girls	the **girls'** lunch
ladies	the **ladies'** coats
babies	the **babies'** blankets
brothers	the **brothers'** toys
neighbors	the **neighbors'** dogs
witnesses	the **witnesses'** story

If a plural noun does **not** end in **s**, add an **apostrophe (')** and **-s** to form the **possessive**.

Plural Noun	**Plural Possessive**
men	the **men's** trucks
people	the **people's** meeting
mice	the **mice's** feet
children	the **children's** laughter

More examples:

Singular Noun	Singular Possessive Noun	Plural Noun	Plural Possessive Noun
dog	dog**'s**	dogs	dogs**'**
student	student**'s**	students	students**'**
wife	wife**'s**	wives	wives**'**
hero	hero**'s**	heroes	heroes**'**
story	story**'s**	stories	stories**'**
waitress	waitress**'s**	waitresses	waitresses**'**
man	man**'s**	men	men**'s**
child	child**'s**	children	children**'s**
person	person**'s**	people	people**'s**

2.5 Pronouns

A **personal pronoun** takes the place of one or more **nouns**.

Dad made **dinner** for **Mom** and **Bobby**.
↓
He made **it** for **them**.

In this example, the nouns **Dad**, **dinner**, **Mom**, and **Bobby** were replaced by the pronouns **he**, **it**, and **them**.

Personal pronouns show **number** and **person**. **Number** tells whether a pronoun is **singular** or **plural**. **Person** shows the **relationship** between the **speaker** and the **pronoun**.

——————————— **Personal Pronouns** ———————————
(Number and Person)

	Singular	**Plural**
First Person (the speaker)	I, me	we, us
Second Person (the person addressed)	you	you
Third Person (person or thing being discussed)	he, him she, her it	they, them

An **antecedent** is the **noun** to which a pronoun **refers**. A **pronoun** must **agree** with its **antecedent** in **number** and **person**.

Gerald will stay there when **he** travels.

In this example, the **singular**, **third person** pronoun **he** refers to the **antecedent Gerald**.

More examples:

My **brother** asked **me** if **I** would make **him** dinner.

(The **singular, third person** pronoun **him** refers to the **antecedent brother**. The **singular**, **first person** pronoun **I** refers to the **antecedent me**.)

The **dog** chased a ball that **it** found.

(The **singular, third person** pronoun **it** refers to the **antecedent dog**.)

Jane asked **us** if **we** were tired.

(The **plural, first person** pronoun **we** refers to the **antecedent us**.)

Dad, did **you** fix the car?

(The **singular**, **second person** pronoun **you** refers to the **antecedent Dad**.)

2.6 Nominative and Objective Case Pronouns

Pronouns can be separated into **three** cases: **nominative** (subject pronouns), **objective** (object pronouns), and **possessive** (see Lesson 2.7).

Use a **nominative case pronoun** as the either a **subject** or a **predicate nominative**. The **nominative case pronouns** are **I, you, he, she, it, we,** and **they**.

Subject: Jane and **I** painted the room.

Did **you** sweep the floor?

They met Tom for lunch.

Predicate Nominative: The winners were John and **he**.

Our teacher is **she**.

The tourists are **they**.

Use an **objective case pronoun** as a **direct object**, an **indirect object**, or as an **object of a preposition**. The **objective case pronouns** are **me**, **you**, **him**, **her**, **it**, **us**, and **them**.

Direct
Object: Toby pushed **me** on the swing.

                               Margot saw **him**.

                               Uncle Rob drove **us** to the store.

Indirect
Object:    Robert gave **you** his chair.

                               Dad asked **her** a question.

                               William gave **them** an invitation.

Object of a
Preposition: Bryan jumped above **it**.

                               Jessica arrived after **him**.

                               Shalisa rode with **us**.

The pronouns **you** and **it** are both **nominative case** and **objective case pronouns**.

Nominative Case

Subject:

You look sleepy.

It is delicious.

Predicate Nominative:

Was it **you** who answered first?

This is **it**.

Objective Case

Direct Object:

Henry invited **you**.

Did you feed **it**?

Indirect Object:

I brought **you** some lunch.

She made **it** a bed.

Object of a Preposition:

Does this belong to **you**?

We bought food for **it**.

2.7 Possessive Pronouns

A **possessive pronoun** shows **ownership** or **possession** and replaces one or more **nouns**. The pronouns **my**, **mine**, **your**, **yours**, **his**, **her**, **hers**, **its**, **our**, **ours**, **their**, and **theirs** are **possessive pronouns**.

That new bike is **Tom's**. **His** mother bought it.

I found **Wendy's** watch. I gave it to **her** yesterday.

In these examples, words **his** and **her** are **possessive pronouns** that replace the **possessive** nouns **Tom's** and **Wendy's**.

More examples:

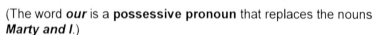

Marty and I are cleaning **our** room.
(The word *our* is a **possessive pronoun** that replaces the nouns *Marty and I*.)

The flowers are **Ella's**. **Her** father sent them.
(The word *her* is a **possessive pronoun** that replaces the possessive noun *Ella's*.)

Jane and Elizabeth wrote to **their** aunt.
(The word *their* is a **possessive pronoun** that replaces the nouns *Jane and Elizabeth*.)

My, **your**, **his**, **her**, **its**, **our**, and **their** are used **before** nouns.

My *name* is Joel.

Is that **your** *violin*?

His *mother* is a nurse.

Kelly fed **her** *brother*.

Did the dog chew **its** *leash*?

We listened to **our** *father*.

They rode **their** *bicycles*.

Mine, **yours**, **his**, **hers**, **ours**, and **theirs** stand **alone**.

That sandwich is **mine**.

The final decision is **yours**.

Is that black hat **his**?

The book is **hers**.

Are those seats **ours**?

The new boat is **theirs**.

————————— **Possessive Pronouns** —————————

	Singular	**Plural**
First person *(the speaker)*	my, mine	our, ours
Second Person *(the person addressed)*	your, yours	your, yours
Third Person *(person or thing being discussed)*	his, her, hers, its	their, theirs

2.8 Reflexive and Intensive Pronouns

A **reflexive pronoun** is a pronoun ending in **-self** or **-selves** that refers back to the **subject** (the antecedent) of a sentence.

Myself, **yourself**, **himself**, **herself**, and **itself** are **singular reflexive pronouns**. They rename **singular nouns** or **pronouns**.

I helped **myself** to another snack.

Jack enjoyed **himself** at the beach.

You find **yourself** a seat.

Susan found **herself** alone in the room.

The cat bit **itself** on the tail.

In these examples, the **singular reflexive pronouns** are in bold. Their **antecedents** (subjects) are underlined.

Ourselves, **yourselves**, and **themselves** are **plural reflexive pronouns**. They rename **plural nouns** or **pronouns**.

<u>We</u> made **ourselves** some cookies.

Can <u>you</u> entertain **yourselves** while I'm gone?

<u>Dan and Josh</u> bought **themselves** new skis.

In these examples, the **plural reflexive pronouns** are in bold. Their **antecedents** (subjects) are underlined.

Do **not** use **hisself** or **theirselves** as **reflexive pronouns**. These are **incorrect** forms of the words **himself** and **themselves**.

Incorrect:	Henry gave *hisself* a black eye.
Correct:	Henry gave **himself** a black eye.

Incorrect:	The boys baked *theirselves* a pie.
Correct:	The boys baked **themselves** a pie.

An **intensive pronoun** is a pronoun ending in **-self** or **-selves** that adds emphasis to a **pronoun** or **noun** already named.

Myself, **yourself**, **himself**, **herself**, and **itself** are **singular intensive pronouns**. They add emphasis to **singular nouns** or **pronouns**.

I **myself** prefer Mexican food.

You **yourself** are quite lucky.

The mayor **himself** made a speech.

Debby changed the tire **herself**.

The rabbit **itself** ate all the carrots.

In these examples, the **singular intensive pronouns** are in bold. Their **antecedents** (subjects) are underlined.

Ourselves, **yourselves**, and **themselves** are **plural intensive pronouns**. They add emphasis to **plural nouns** or **pronouns**.

Joy and I made dinner **ourselves**.

Did you rake the leaves **yourselves**?

They **themselves** built the house.

In these examples, the **plural intensive pronouns** are in bold. Their **antecedents** (subjects) are underlined.

Do **not** use **hisself** or **theirselves** as **intensive pronouns**. These are **incorrect** forms of the words **himself** and **themselves**.

Incorrect:	Marty collected the stamps *hisself*.
Correct:	Marty collected the stamps **himself**.

Incorrect:	The children *theirselves* wrote the play.
Correct:	The children **themselves** wrote the play.

2.9 Indefinite and Demonstrative Pronouns

Some pronouns do not always refer to a definite antecedent. An **indefinite pronoun** refers to one or more **unspecified** people, places, or things. The **singular indefinite** pronouns are **anybody, anyone, no one, each, either, everybody, everyone, neither, nobody, one, someone,** and **somebody**.

Someone is in the garage.

In this example, the **singular** indefinite pronoun *someone* refers to a **person** who is **not** identified.

More examples:

Has **anyone** arrived for the party?

Each gave a small gift.

Everybody remembered the song.

Neither knew the answer.

I knew **no one** at the beach.

Will **somebody** close the window?

The **plural indefinite** pronouns are **both**, **few**, **many**, and **several**.

> **Few** enjoyed the spinach casserole.

In this example, the **plural** indefinite pronoun *few* refers to **people** who are **not** identified.

More examples:

Were **both** missing?

Few were interested.

Many have been repaired.

Several were in the hallway.

A **demonstrative pronoun** points out a **specific** person, place, or thing. **This**, **that**, **these**, and **those** are **demonstrative pronouns**.

This and **that** are used to refer to **one** person, place, or thing.

This is my new *book*.

That was a funny *movie*.

In these examples, the words **this** and **that** refer to the **singular** nouns **book** and **movie**.

These and **those** are used to refer to **more than one** person, place, or thing.

These are delicious *eggs*.

Those were new *pencils*.

In these examples, the words **these** and **those** refer to the **plural** nouns **eggs** and **pencils**.

This and **these** refer to things that are **physically close** to the speaker. **That** and **those** refer to things that are at a **physical distance** from the speaker.

Never use **here** or **there** with a demonstrative pronoun.

Incorrect:	This *here* is my neighbor.
Correct:	**This** is my neighbor.
Incorrect:	That *there* was a funny joke.
Correct:	**That** was a funny joke.
Incorrect:	These *here* are my marbles.
Correct:	**These** are my marbles.
Incorrect:	Those *there* are Kelly's gloves.
Correct:	**Those** are Kelly's gloves.

Never use the word **them** as a demonstrative pronoun.

Incorrect:	*Them* are your presents.
Correct:	**Those** are your presents.
Incorrect:	Are *them* the correct answers?
Correct:	Are **those** the correct answers?

Demonstrative pronouns are the same words as **demonstrative adjectives**, but they are used differently. We will discuss **demonstrative adjectives** in Lesson 4.2.

2.10 Interrogative Pronouns

Use an **interrogative pronoun** to **begin** a **question**. **Who, whom, whose, what**, and **which** are **interrogative pronouns**.

Use **who**, **whom**, and **whose** when referring to people or things.

The word **who** is used as the **subject** of a sentence.

Who sings that song?

Who left the refrigerator door open?

Who is your orthodontist?

The word **whom** is used as a **direct object** or after **prepositions** such as **with**, **to**, and **for**.

Whom will you choose for the job?

He spoke to **whom**?

To **whom** is she writing?

It can often be confusing knowing whether to use **who** or **whom** in a sentence.   One way to determine which word should be used is to substitute **he** for **who** and **him** for **whom**. If **he** fits, use **who**. If **him** fits, use **whom**.

(Who or Whom) was at the door?

Substitute with *he or him:*	*He* was at the door? *Him* was at the door?
Correct:	**Who** was at the door?

In this example, the word **he** makes sense. This means that **who** is the correct **interrogative pronoun** for this sentence.

You rode with (who or whom)?

Substitute with *he or him:*	You rode with *he*? You rode with *him*?
Correct:	You rode with **whom**?

In this example, the word **him** makes sense. This means that **whom** is the correct **interrogative pronoun** for this sentence.

It is often necessary to rearrange the sentence to determine which **interrogative pronoun** to use.

(Who or **Whom)** did you ask to the dance?

*Rearrange and
then substitute
with he or him:*   You did ask *he* to the dance.

You did ask *him* to the dance.

Correct: **Whom** did you ask to the dance?

In this example, the word **him** makes sense. This means that **whom** is the correct **interrogative pronoun** for this sentence.

With **(who** or **whom)** do you wish to speak?

*Rearrange and
then substitute
with he or him:*   You do wish to speak with *he.*

You do wish to speak with *him.*

Correct: With **whom** do you wish to speak?

In this example, the word **him** makes sense. This means that **whom** is the correct **interrogative pronoun** for this sentence.

The word **whose** is used to show **possession**.

Whose were the keys that I found?

Whose did you borrow?

The word **what** is used to refer to **things** or **animals**.

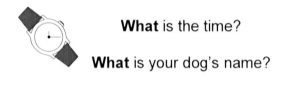

What is the time?

What is your dog's name?

The word **which** is used to refer to **people** or **things**.

Which team is your favorite?

Which magazine did you read?

The words **who**, **whom**, **whose**, and **which** are **relative pronouns** when they are used to introduce **adjective clauses**. We will discuss **relative pronouns** and **adjective clauses** in Chapter 8.

Chapter 2 Review - Part 1

<u>Nouns</u>: A **noun** names a **person**, **place**, or **thing**. A **concrete noun** names **things** you can **see** and **touch**. An **abstract noun** names things that you cannot see such as an **idea** or a **feeling**. A **common noun** names **any** person, place, or thing and is **not** capitalized. A **proper noun** names a **particular** person, place, or thing. **Capitalize** each **important word** in a proper noun. A **collective noun** is the general name of a **group** of **people**, **animals**, or **things**.

<u>Plural Nouns</u>: A **singular noun** names **one** person, place, or thing. A **plural noun** names **more than one** person, place, or thing.
-Add **-s** to most **noun**s to form the plural.
-Add **-es** to most **nouns** ending in **s**, **ch**, **sh**, **x**, or **z**.
-Add **-s** to most **nouns** ending in **y** after a **vowel**.
-Change **y** to **i** and add **-es** to most **nouns** ending in a **y** after a **consonant**.
-Add **-s** to most **nouns** ending in an **o** after a **vowel** and to **musical terms** ending in **o**.
-Add **-es** to most **nouns** ending in an **o** after a **consonant**.

-Add **-s** to many **nouns** ending in **f**.

-For some **nouns**, **drop** the **f** or **fe** and add **-ves**.

Nouns with Special Plural Forms: Not all nouns require a new ending such as **-s** or **-es** to form the **plural**. The **plural** of some nouns is formed in **irregular ways**. For some **nouns**, the **singular** is the same as the **plural** form.

Possessive Nouns: The **possessive case** of a **noun** shows **ownership** or **relationship**.

-Add an **apostrophe** and **-s ('s)** to form the **possessive** of **singular nouns**.

-Add only an **apostrophe (')** to form the **possessive** of most **plural nouns** ending in **s**.

-If a plural noun does **not** end in **s**, add an **apostrophe** and **-s ('s)** to form the **possessive**.

Pronouns: A **personal pronoun** takes the place of one or more **nouns**. **Personal pronouns** show **number** and **person**. **Number** tells whether a pronoun is **singular** or **plural**. **Person** shows the **relationship** between the **speaker** and the **pronoun**. An **antecedent** is the **noun** to which a pronoun **refers**. A **pronoun** must **agree** with its **antecedent** in **number** and **person**.

Chapter 2 Review - Part 2

Nominative and Objective Case Pronouns: Use a **nominative case pronoun** as the **subject** or a **predicate nominative**. The **nominative case pronouns** are **I, you, he, she, it, we**, and **they**. Use an **objective case pronoun** as a **direct object**, an **indirect object**, or as an **object of a preposition**. The **objective case pronouns** are **me, you, him, her, it, us**, and **them**. The pronouns **you** and **it** are both **nominative case** and **objective case pronouns**.

Possessive Pronouns: A **possessive pronoun** shows **ownership** or **possession** and replaces one or more **nouns**. The pronouns **my, mine, your, yours, his, her, hers, its, our, ours, their**, and **theirs** are **possessive pronouns**. **My, your, his, her, its, our**, and **their** are used **before** nouns. **Mine, yours, his, hers, ours**, and **theirs** stand **alone**.

Reflexive and Intensive Pronouns: A **reflexive pronoun** is a pronoun ending in **-self** or **-selves** that refers back to the **subject** (the antecedent) of a sentence. **Myself, yourself, himself, herself**, and **itself** are **singular reflexive pronouns**. They rename **singular nouns** or **pronouns**.

Ourselves, **yourselves**, and **themselves** are **plural reflexive pronouns**. They rename **plural nouns** or pronouns. Do **not** use **hisself** or **theirselves** as **reflexive pronouns**. These are **incorrect** forms of the words **himself** and **themselves**.

An **intensive pronoun** is a pronoun ending in **-self** or **-selves** that adds emphasis to a **pronoun** or **noun** already named. **Myself, yourself, himself, herself,** and **itself** are **singular intensive pronouns**. They add emphasis to **singular nouns** or **pronouns**. **Ourselves, yourselves,** and **themselves** are **plural intensive pronouns**. They add emphasis to **plural nouns** or **pronouns**.

Do **not** use **hisself** or **theirselves** as **intensive pronouns**. These are **incorrect** forms of the words **himself** and **themselves**.

Indefinite and Demonstrative Pronouns: Some pronouns do not always refer to a definite antecedent. An **indefinite pronoun** refers to one or more unspecified people, places, or things. The indefinite pronouns **anybody, anyone, no one, each, either, everybody, everyone, neither, nobody, one, someone,** and **somebody** are **singular**. The indefinite pronouns **both**, **few**, **many**, and **several** are **plural**.

   A **demonstrative pronoun** points out a **specific** person, place, or thing. **This**, **that**, **these**, and **those** are **demonstrative pronouns**. **This** and **that** are used to refer to **one** person, place, or thing. **These** and **those** are used to refer to **more than one** person, place, or thing. **This** and **these** refer to things that are **physically close** to the speaker. **That** and **those** refer to things that are at a **physical distance** from the speaker. **Never** use **here** or **there** with a demonstrative pronoun. **Never** use the word **them** as a demonstrative pronoun.

Interrogative Pronouns: Use an **interrogative pronoun** to **begin** a **question**. **Who**, **whom**, **whose**, **what**, and **which** are **interrogative pronouns**. Use **who**, **whom**, and **whose** when referring to people or things. **Who** is used as the **subject** of a sentence. Use **whom** as a **direct object** or after **prepositions** such as **with**, **to**, and **for**. **Whose** is used to show **possession**. **What** is used to refer to **things** or **animals**. **Which** is used to refer to **people** or **things**.

Chapter 3

Verbs

3.1 Action Verbs

Every sentence must have a **verb**. Some sentences
contain an **action verb**, which expresses the **action** of
the sentence.

Janet **opened** the door.

Dad **drinks** his coffee.

In these examples, the words *opened* and *drinks* are
action verbs. They express **physical action**.

More examples:

Marty **reads** the newspaper.

*(The word **reads** is an **action verb** that expresses **physical
action**.)*

The traffic **rushed** down the road.

*(The word **rushed** is an **action verb** that expresses **physical
action**.)*

The customer **eats** her lunch.

*(The word **eats** is an **action verb** that expresses **physical
action**.)*

Grandma **works** in the garden.

*(The word **works** is an **action verb** that expresses **physical
action**.)*

While most **action verbs** show **physical action**, others show **mental action** such as **remember, learn, forget, think, love, enjoy**, or **trust**. **Mental actions** are those actions that are **not** easily **seen**.

My sister **knew** the answer.

Do you **understand** the directions?

In these examples, the words **knew** and **understand** are **action verbs** because they express **mental action**.

More examples:

James **likes** his work.

*(The word **likes** is an **action verb** that expresses **mental action**.)*

The scientist **thought** about the problem.

*(The word **thought** is an **action verb** that expresses **mental action**.)*

Do you **believe** that story?

*(The word **believe** is an **action verb** that expresses **mental action**.)*

I **forgot** the tickets to the show.

*(The word **forgot** is an **action verb** that expresses **mental action**.)*

3.2 Helping Verbs and Verb Phrases

Sometimes a verb needs help to show the correct meaning. A **helping verb (auxiliary verb)** is a verb that appears **before** a **main verb** in a sentence to **help** express **action** or **being**.

Kristin **will** <u>sing</u> a new song.

We **should be** <u>leaving</u>.

In the first example, the verb **will** is a **helping verb** to the main verb **sing**. In the second example, the verbs **should** and **be** are **helping verbs** to the main verb *leaving*.

More examples:

You **could have** <u>asked</u> permission.
*(The verbs **could** and **have** are **helping verbs** to the main verb **asked**.)*

They **were** <u>studying</u>.
*(The verb **were** is a **helping verb** to the main verb **studying**.)*

James **must have been** <u>raking</u> leaves.
*(The verbs **must**, **have**, and **been** are **helping verbs** to the main verb **raking**.)*

Below is a list of **helping verbs**:

am	have	do	shall	may
is	has	does	will	might
are	had	did	should	must
was			would	can
were				could
be				
being				
been				

A **verb phrase** contains a **main verb** and **all** of its **helping verbs**. The **main verb** is the **last** word in the **verb phrase**.

 Jessie **might be** <u>eating</u>.

The girls **could have been** <u>painting</u> the walls.

In the first example, the **verb phrase** is **might be eating**. The **main verb** is **eating**. In the second example, the **verb phrase** is **could have been painting**. The **main verb** is **painting**.

More examples:

You **must** <u>be</u> our new neighbor.

*(The verb **must** is a **helping verb** to the main verb **be**.)*

She **might have** <u>seen</u> that movie.

*(The verbs **might** and **have** are **helping verbs** to the main verb **seen**.)*

Mom **had been** <u>walking</u> on the treadmill.

*(The verbs **had** and **been** are **helping verbs** to the main verb **walking**.)*

On a sentence **diagram**, the **helping verbs** are placed before the **main verb** in the predicate area of the **diagram**.

Jessie **might be** <u>eating</u>.

Jessie	might be eating

We **should be** <u>leaving</u>.

We	should be leaving

Sometimes a **helping verb** is used with a **compound verb** (see Lesson 1.5). It is important to determine whether the **helping verb** is used with only **one verb** or **shared** by **all of the verbs**. To do this, simply split the sentence using each **verb** in its own sentence with the **helping verb**.

Shanelle **was** *cleaning* and *dusting.*

Correct: Shanelle **was** *cleaning.*
Correct: Shanelle **was** *dusting.*

In this example, the helping verb **was** is shared by both verbs.

John **was** *injured* and *left* the field.

Correct: John **was** *injured.*
Incorrect: John **was** *left* the field.

In this example, the helping verb **was** is only used with the first verb **injured**. Using it with the second verb **left** does **not** make sense.

When diagramming a **compound verb** that **shares** a **helping verb**, place the **helping verb** on the line after the vertical line that follows the **subject** area.

Shanelle **was** *cleaning* and *dusting* the basement.

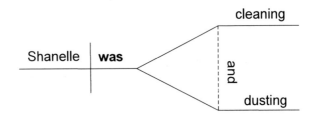

If only one of the **verbs** uses the **helping verb**, place the **helping verb** on the **predicate** line with its corresponding **verb**.

John **was** *injured* and *left* the field.

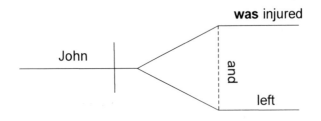

3.3 Direct Objects

A **direct object** is the **noun** or **pronoun** that **follows** an **action verb** and receives the **action** from that **verb**. It answers **whom** or **what** after the **verb**.

To identify the **direct object**, say the **subject** and the **action verb** followed by **what** or **whom**.

Jonah <u>scraped</u> his **knee**.

Grandmother <u>helped</u> **me**.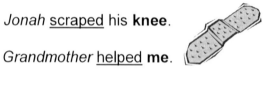

Jonah scraped **what**? Grandmother helped **whom**? In the first example, the noun **knee** is the **direct object** because it tells you **what** Jonah **scraped**. In the second example, the pronoun **me** is the **direct object** because it tells **whom** Grandmother **helped**.

More examples:

Kristin <u>diced</u> the **tomato**.

*(The word **tomato** is the **direct object**. It tells **what** Kristin diced.)*

Jacob <u>knows</u> the **author**.

*(The word **author** is the **direct object**. It tells **whom** Jacob knows.)*

If **no** word answers the questions **whom** or **what** after the **action verb**, the sentence does **not** have a direct object.

The *boys* <u>rushed</u> outside.

The *girls* <u>jogged</u>.

Boys rushed **what** or **whom**? The girls jogged **what** or **whom**? There are **no** answers to these questions. In these examples, there are **no** direct objects. In the first example, the word **outside** is an **adverb** that tells **where** about the verb **rushed**. We will discuss **adverbs** in Chapter 5. In the second example, there are **no** words after the action verb **jogged**, so there can be **no direct object**.

More examples:

The *balloon* <u>rose</u> slowly.

*(The word after the action verb **rose** tells **how** the balloon **rose**. This is an **adverb** and **not** a **direct object**.)*

The tall *boy* <u>fell</u>.

*(There are **no** words after the action verb **fell**, so there is **no** direct object.)*

Often a sentence will have **more than one direct object**. This is called a **compound direct object**.

Charlotte <u>reads</u> **books** or **magazines**.

The *doctor* <u>cured</u> **Juan**, **Maria**, and **Grace**.

Charlotte reads **what**? The doctor cured **whom**? In the first example, the nouns **books** and **magazines** are the **compound direct object** because they tell you **what** Charlotte **reads**. In the second example, the nouns **Juan, Maria**, and **Grace** are the **compound direct object** because they tell **whom** the doctor **cured**.

More examples:

The *chef* <u>served</u> **beef** and **chicken**.

*(The words **beef** and **chicken** are the **compound direct object**. They tell **what** the chef **served**.)*

The *carpenter* <u>used</u> a **nail**, **hammer**, and **wood**.

*(The words **nail, hammer, and wood** are the **compound direct object**. They tell **what** the carpenter **used**.)*

3.4 Diagramming Direct Objects

On a **diagram**, place the **direct object** on the same
line as the **subject** and **action verb**. Separate the
direct object from the action verb with a short vertical
line that does not break through the horizontal line.

subject	action verb	direct object

Examples:

Jonah <u>scraped</u> his **knee**.

Jonah	scraped	**knee**

Grandmother <u>helped</u> **me**.

Grandmother	helped	**me**

Kristin <u>diced</u> the **tomato**.

Kristin	diced	**tomato**

To diagram a **compound direct object**, place each **direct object** after the short vertical line on a horizontal line, one above the other, joined by diagonal lines. Write the **conjunction** on the dotted line that connects the direct object lines.

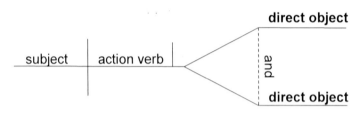

Examples:

Charlotte <u>reads</u> **books** or **magazines**.

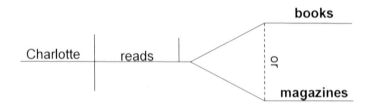

The *chef* <u>served</u> **beef** and **chicken**.

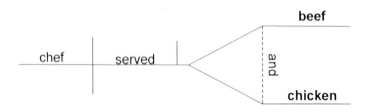

Move the **conjunction** to the **other side** of the dotted line when there are **more than two direct objects**.

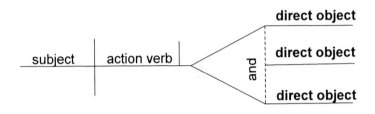

Examples:

The *doctor* <u>cured</u> **Juan**, **Maria**, and **Grace**.

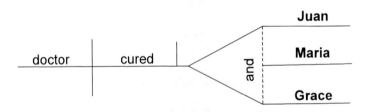

The *carpenter* <u>used</u> a **nail**, **hammer**, and **wood**.

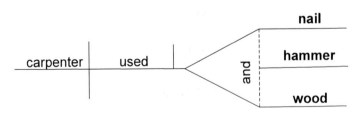

Sometimes a **compound verb** shares a **direct object**.

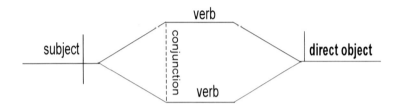

Examples:

Bob <u>fertilizes</u> and <u>waters</u> **flowers**.

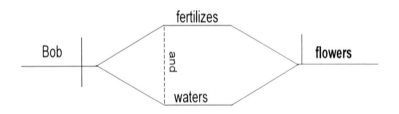

Andrew <u>washed</u> and <u>dried</u> **dishes**.

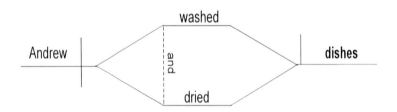

Sometimes each **verb** of a **compound verb** has its own **direct object**.

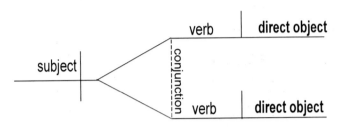

Examples:

Dad <u>made</u> **soup** and <u>baked</u> **bread**.

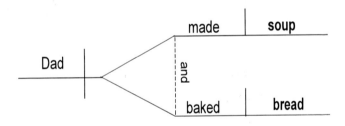

Marco <u>scrubbed</u> **windows** and <u>swept</u> **floors**.

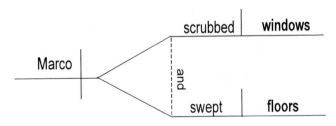

3.5 Indirect Objects

An **indirect object** is a **noun** or **pronoun** that precedes a **direct object** and tells **to whom** or **to what**, or **for whom** or **for what** the **action** of the **verb** is done. The **indirect object** comes **between** the **verb** and the **direct object** in a sentence. If there is **no direct object** in a sentence, there can be **no indirect object**.

Damon showed Tom the *drums*.

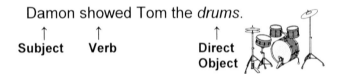

| Subject | Verb | | Direct Object |

Before you identify the **indirect object**, first find the **direct object**. Remember, say the **subject** and **verb** and ask **whom** or **what** to find the **direct object**. Damon showed **what**? Damon showed the **drums**. The **direct object** is **drums**.

Now we can find the **indirect object** by asking **to whom** or **for whom** after the **subject**, **action verb** and **direct object**.

Damon showed the *drums* **to whom**?

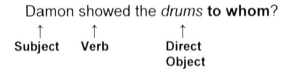

| Subject | Verb | Direct Object |

Tom answers this question. Therefore, **Tom** is the
indirect object of this sentence.

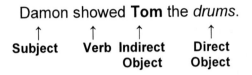

The indirect object **Tom** is **between** the verb **showed**
and the direct object **drums**.

More examples:

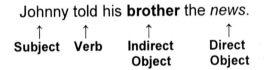

Johnny told **what**? The **direct object** is **news**. Johnny
told the **news** to **whom**? The answer is **brother**.
Therefore, the **indirect object** is **brother**.

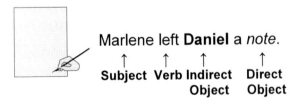

Marlene left **what**? The **direct object** is **note**.
Marlene left a **note** for **whom**? The answer is **Daniel**.
Therefore, the **indirect object** is **Daniel**.

An **indirect object never** follows a **preposition** such as **to** or **for** in a sentence. A **noun** or **pronoun** that follows a **preposition** is the **object of the preposition** and **not** an indirect object.

Indirect
Object: Damon showed **Tom** the *drums*.

Object of the
Preposition: Damon showed the drums <u>to</u> **Tom**.

In the first example, the word **Tom** is the **indirect object**. It comes **between** the verb **showed** and the direct object **drums**. In the second example, the word **Tom** follows the preposition **to** and is the **object** of that **preposition**. It is **not** an **indirect object**.

More examples:

Indirect
Object: Johnny told his **brother** the *news*.

Object of the
Preposition: Johnny told the news <u>to</u> his **brother**.

Indirect
Object: Marlene left **Daniel** a *note*.

Object of the
Preposition: Marlene left a note <u>for</u> **Daniel**.

Sentences often have more than one **indirect object**. This is called a **compound indirect object**.

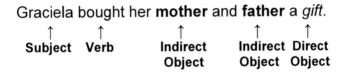

Graciela bought her **mother** and **father** a *gift*.

↑	↑	↑	↑	↑
Subject	**Verb**	**Indirect Object**	**Indirect Object**	**Direct Object**

In this example, the **subject** is **Graciela**, the **verb** is **bought**, and the **direct object** is **gift**. The words **mother** and **father** are the **indirect objects** because they tell **for whom** the **gift** is **bought**.

More examples:

Rhett showed **Howard** and **me** the *map*.

↑	↑	↑	↑	↑
Subject	**Verb**	**Indirect Object**	**Indirect Object**	**Direct Object**

Grandpa read **Emma** and **Marley** a *story*.

↑	↑	↑	↑	↑
Subject	**Verb**	**Indirect Object**	**Indirect Object**	**Direct Object**

3.6 Diagramming Indirect Objects

On a sentence diagram, place the **indirect object** below the **verb** on a horizontal line connected to the verb by a diagonal line.

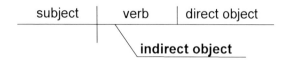

Examples:

Damon showed **Tom** the *drums*.

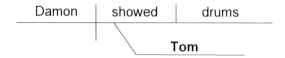

Johnny told his **brother** the *news*.

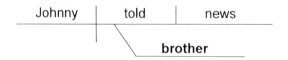

Marlene left **Daniel** a *note*.

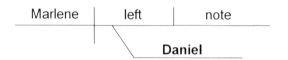

On a sentence diagram, place the **indirect objects of a compound indirect object** below the **verb** on two horizontal lines, one above the other, joined by diagonal lines. This is connected to the **verb** by a diagonal line. Write the **conjunction** on a dotted line that connects the two **indirect object** lines.

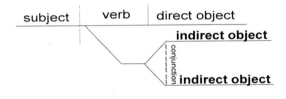

Examples:

Graciela bought her **mother** and **father** a *gift*.

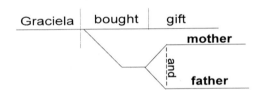

Grandpa read **Emma** and **Marley** a *story*.

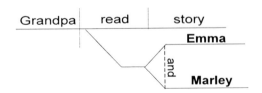

3.7 Interrupted Verb Phrases

The **verb phrase** in a **question** (interrogative sentence) is often difficult to determine since the words in the **verb phrase** are usually separated by one or more words in the sentence. Change **questions** to **statements** to find the **verb phrase**.

Did you find your hat? → You **did find** your hat.

In this example, the **verb phrase** is *did find*. Changing the **question** into a **statement** makes the **verb phrase** easier to find.

More examples:

Has he baked the bread? → He **has baked** the bread.
(The verb phrase is has baked.)

Can you open that door? → You **can open** that door.
(The verb phrase is can open.)

Will she call today? → She **will call** today.
(The verb phrase is will call.)

Other words will often interrupt a **verb phrase**. The words **not** (and its contraction form **n't**), **never**, **ever**, **hardly**, **barely**, **scarcely**, **surely**, and **always** are often found between a **helping verb** and a **main verb**. These words are **adverbs** and are **never** part of the **verb phrase**. We will learn more about **adverbs** in Chapter 5.

Dad **has** *always* **mowed** the lawn.

In this example, the **verb phrase** is *has mowed*. The word *always* is an **adverb** and **not** part of the verb phrase.

More examples:

They **have** *not* **seen** that movie.
*(The **verb phrase** is **have seen**. The word **not** is an **adverb**.)*

Dan **will** *never* **finish** his chores.
*(The **verb phrase** is **will finish**. The word **never** is an **adverb**.)*

She **has** *always* **had** good luck.
*(The **verb phrase** is **has had**. The word **always** is an **adverb**.)*

Janet **doesn't know** anyone in town.
*(The **verb phrase** is **does know**. The contraction **n't** (meaning not) is an **adverb**.)*

3.8 Linking Verbs

Some verbs do not show action. **Linking verbs** link a **noun** or **pronoun** near the beginning of a sentence with another word in the sentence that renames it or tells more about it.

Linking verbs act as an equal sign between the words they connect.

Linking verbs are commonly forms of the verb **be**, such as **am**, **is**, **are**, **was**, and **were**.

Those *trees* **are** *tall*.

trees = tall

In this example, the linking verb ***are*** links the words ***trees*** and ***tall***. The word ***tall*** tells more about the noun ***trees***.

More examples:

He **is** my *friend*. → He = friend
*(The linking verb **is** links the pronoun **he** to the word **friend**.)*

That *car* **was** *fast*. → car = fast
*(The linking verb **was** links the noun **car** to the word **fast**.)*

The *boys* **were** *happy*. → boys = happy
*(The linking verb **were** links the noun **boys** to the word **happy**.)*

3.9 Other Linking Verbs

Words such as **appear**, **feel**, **look**, **seem**, **smell**, **sound**, **taste**, and their various forms are also linking verbs. In a sentence, any of these linking verbs can be replaced by a form of the verb **be** (**am, is, are, was, or were**) and the sentence still makes sense.

I feel tired.
↓
I am tired.

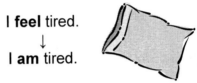

In this example, the linking verb *feel* links the pronoun *I* and the word *tired*. The word *tired* tells more about the pronoun *I*. The linking verb *feel* can be replaced by the linking verb *am* and the sentence still makes sense.

More examples:

Annie **appears** *happy.* → *Annie* **was** *happy.*

*(The linking verb **appears** links the noun **Annie** to the word **happy**. The linking verb **appears** can be replaced by the linking verb **was** and the sentence still makes sense.)*

They **became** *athletes.* → *They* **were** *athletes.*

*(The linking verb **became** links the pronoun **they** to the word **athletes**. The linking verb **became** can be replaced by the linking verb **were** and the sentence still makes sense.)*

The *food* **smells** *delicious.* → The *food* **is** *delicious.*

*(The linking verb **smells** links the noun **food** to the word **delicious**. The linking verb **smells** can be replaced by the linking verb **is** and the sentence still makes sense.)*

The words **appear**, **feel**, **look**, **seem**, **smell**, **sound**, **taste**, and their various forms can be used as **action verbs** as well as **linking verbs**.

Linking Verb	*Action Verb*
Lily **looked** frightened.	Lily **looked** at the sunset.
That **appears** new.	He **appeared** quickly.
The perfume **smells** pretty.	Did he **smell** the flowers?
You **look** tired.	I **looked** at the painting.

There is an easy way to determine if the words previously listed are being used as **action verbs** or **linking verbs**. Simply replace the verb with a form of the verb **be**. If the sentence makes sense, then the verb is being used as a **linking verb**. If the sentence does **not** make sense, then the verb is being used as an **action verb**.

Lily **looked** frightened. → Lily **was** frightened.

This example makes sense when the verb *looked* is replaced with the verb *was* (a form of the verb **be**). This means that in this instance, the verb **looked** is a **linking verb**.

Lily **looked** for her ring. → Lily **was** for her ring.

This example does **not** make sense when the verb *looked* is replaced with the verb *was*. This means that in this instance, the verb **looked** is an **action verb**.

More examples:

The water **felt** cool. → The water **was** cool.

*(This sentence makes sense when the verb **felt** is replaced with the verb **was**. This means that **felt** is a **linking verb**.)*

I **felt** the cold water. → I **was** the cold water.

*(This sentence does not make sense when the verb **felt** is replaced with the verb **was**. This means that **felt** is an **action verb**.)*

The bread **tastes** sweet. → The bread **is** sweet.

*(This sentence makes sense when the verb **tastes** is replaced with the verb **is**. This means that **tastes** is a **linking verb**.)*

Mom **tastes** the bread. → Mom **is** the bread.

*(This sentence does not make sense when the verb **tastes** is replaced with the verb **is**. This means that **tastes** is an **action verb**.)*

3.10 Predicate Nominatives

A **predicate nominative** (**predicate noun** or **pronoun**) follows a **linking verb** and **renames** or **identifies** the **subject** of the sentence.

 My *cousin* is a **soldier**.

In this example, **soldier** is a **predicate nominative** because it is a **noun** that follows the linking verb **is** and **renames** the subject **cousin**.

The **linking verb** acts like an **equal sign** between the **subject** and the **predicate nominative**.

My *cousin* is a **soldier**. → cousin = soldier

More examples:

Mr. James was our **coach**. → Mr. James = coach

(Coach is a predicate nominative because it is a noun that follows the linking verb was and renames the subject Mr. James.)

China is a large **country**. → China = country

(Country is a predicate nominative because it is a noun that follows the linking verb is and renames the subject China.)

On a sentence diagram, place the **predicate nominative** on the same line with the **subject** and **linking verb**. Separate the **predicate nominative** from the **linking verb** by a short diagonal line that does not break through the horizontal line.

| subject | linking verb \ predicate nominative |

Examples:

My *cousin* is a **soldier**.

| cousin | is \ soldier |

Mr. James was our **coach**.

| Mr. James | was \ coach |

China is a large **country**.

| China | is \ country |

Often a sentence will have **more than one predicate nominative.** This is called a **compound predicate nominative**.

The *singers* are **Keenan** and **Andre**.

In this example, the words **Keenan** and **Andre** make up the **compound predicate nominative** because they are **nouns** that follow the linking verb **are** and **rename** the subject **singers**.

More examples:

Our *uncle* was a **painter** and a **sculptor**.

(Painter and sculptor make up a compound predicate nominative because they are nouns that follow the linking verb was and rename the subject uncle.)

Bradley is a **scholar** and an **athlete**.

(Scholar and athlete make up a compound predicate nominative because they are nouns that follow the linking verb is and rename the subject Bradley.)

When a sentence has a **compound predicate nominative**, place each **predicate nominative** after the diagonal line on a horizontal line, one above the other, joined by diagonal lines. Place the **conjunction** on a dotted line that connects the two **predicate nominative** lines.

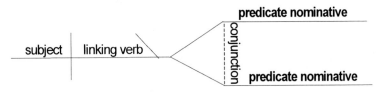

Examples:

Our *uncle* was a **painter** and a **sculptor**.

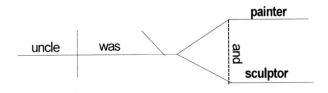

The *singers* are **Keenan** and **Andre**.

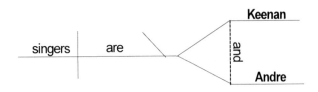

Chapter 3 Review - Part 1

<u>Action Verbs</u>: Every sentence must have a **verb**. An **action verb** expresses the **action** of the sentence. While most **action verbs** show **physical action**, others show **mental action** such as **remember**, **learn**, **forget**, **think**, **love**, **enjoy**, or **trust**. **Mental actions** are those actions that are **not** easily **seen**.

<u>Helping Verbs and Verb Phrases</u>: Sometimes a verb needs help to show the correct meaning. A **helping verb (auxiliary verb)** is a verb that appears **before** a **main verb** in a sentence to **help** express **action** or **being**. A **verb phrase** contains a **main verb** and **all** of its **helping verbs**. The **main verb** is the **last** word in the **verb phrase**.

On a sentence **diagram**, the **helping verbs** are placed before the **main verb** in the predicate area of the **diagram**.

Jessie might be <u>eating</u>.

Jessie	**might be** eating

Sometimes a **helping verb** is used with **compound verb** (see Lesson 1.5). It is important to determine

whether the **helping verb** is used with only **one verb**
or shared by **all** of the **verbs**. To do this, simply **split**
the sentence using each **verb** in its own sentence with
the **helping verb**.

When diagramming a **compound verb** that **shares** a
helping verb, place the **helping verb** on the line after
the vertical line that follows the **subject** area.

Shanelle **was** *cleaning* and *dusting* the basement.

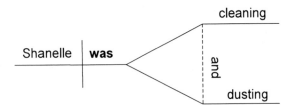

If only one of the **verbs** uses the **helping verb**, place
the **helping verb** on the **predicate** line with its
corresponding **verb**.

John **was** *injured* and *left* the field.

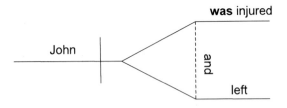

Direct Objects: A **direct object** is the **noun** or
pronoun that **follows** an **action verb** and receives the

action from that **verb**. It answers **whom** or **what** after the **verb**. To identify the **direct object**, say the **subject** and the **action verb** followed by **what** or **whom**. If **no** word answers the questions **whom** or **what** after the **action verb**, the sentences does **not** have a direct object. Often a sentence will have **more than one direct object**. This is called a **compound direct object**.

<u>Diagramming Direct Objects</u>: On a **diagram**, place the **direct object** on the same line as the **subject** and **action verb**. Separate the direct object from the action verb with a short vertical line that does not break through the horizontal line.

subject	action verb	**direct object**

To diagram a **compound direct object**, place the **direct objects** after the short vertical line on two or three horizontal lines, one above the other, joined by diagonal lines. Write the **conjunction** on the dotted line that connects the direct object lines.

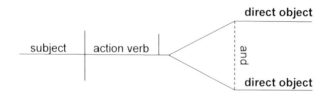

Move the **conjunction** to the **other side** of the dotted line when there are **more than two direct objects**.

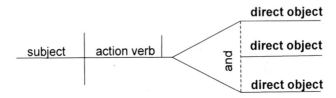

Sometimes a **compound verb** shares a **direct object**.

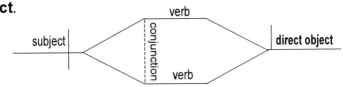

Sometimes each **verb** of a **compound verb** has its own **direct object**.

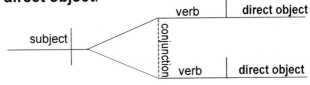

Chapter 3 Review - Part 2

<u>Indirect Objects</u>: An **indirect object** is a **noun** or **pronoun** that **precedes** a **direct object** and tells **to whom** or **to what**, or **for whom** or **for what** the **action** of the **verb** is done. The **indirect object** comes **between** the **verb** and the **direct object** in a sentence. If there is **no direct object** in a sentence, there can be **no indirect object**. An **indirect object never** follows a **preposition** such as **to** or **for** in a sentence. A **noun** or **pronoun** that follows a **preposition** is the **object of the preposition** and **not** an indirect object.

Sentences often have more than one **indirect object**. This is called a **compound indirect object**.

<u>Diagramming Indirect Objects</u>: On a sentence diagram, place the **indirect object** below the **verb** on a horizontal line connected to the verb by a diagonal line.

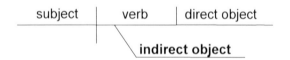

To diagram a **compound indirect object**, place the **indirect objects of a compound indirect object** below the **verb** on a two horizontal lines, one above the other, joined by diagonal lines. This is connected to the **verb** by a diagonal line. Write the **conjunction** on a dotted line that connects the two **indirect object** lines.

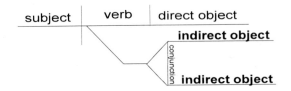

Interrupted Verb Phrases: The **verb phrase** in a **question** (interrogative sentence) is often difficult to determine since the words in the **verb phrase** are often separated by one or more words in the sentence. Change **questions** to **statements** to find the **verb phrase**. Other words will often interrupt a **verb phrase**. The words **not** (and its contraction form **n't**), **never**, **ever**, **hardly**, **surely**, and **always** are often found between a **helping verb** and a **main verb**. These words are **adverbs** and are **never** part of the verb phrase.

Linking Verbs: **Linking verbs** link a **noun** or **pronoun** near the beginning of a sentence with another word in the sentence that renames it or tells more about it. **Linking verbs** act as an equal sign between the words they connect. **Linking verbs** are commonly forms of the verb **be**, such as **am**, **is**, **are**, **was**, and **were**.

Other Linking Verbs: Words such as **appear**, **feel**, **look**, **seem**, **smell**, **sound**, **taste**, and their various forms are also linking verbs. In a sentence, any of these linking verbs can be replaced by a form of the verb **be** and the sentence still makes sense. These words and their various forms can also be used as **action verbs** as well as **linking verbs**.

   There is an easy way to determine if the previously listed words are being used as **action verbs** or **linking verbs**. Simply replace the verb with a form of the verb **be**. If the sentence makes sense, then the verb is being used a **linking verb**. If the sentence does **not** make sense, then the verb is being used as an **action verb**.

Predicate Nominatives: A **predicate nominative** follows a **linking verb** and **renames** or **identifies** the **subject** of the sentence. The **linking verb** acts like an **equal sign** between the **subject** and the **predicate nominative**.

   On a sentence diagram, place the **predicate nominative** on the same line with the **subject** and **linking verb**. Separate the **predicate nominative**

from the **linking verb** by a short diagonal line that does
not break through the horizontal line.

<u>subject | linking verb\ **predicate nominative**</u>

Often a sentence will have **more than one predicate
nominative.** This is called a **compound predicate
nominative**. When a sentence has a **compound
predicate nominative**, place each **predicate
nominative** after the diagonal line on a horizontal line,
one above the other, joined by diagonal lines. Place
the **conjunction** on a dotted line that connects the two
predicate nominative lines.

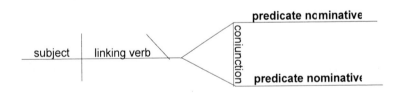

Chapter 4

Adjectives

4.1 Descriptive Adjectives

An **adjective** is a word that **modifies** or **describes** a
noun or a **pronoun** by telling **what kind**, **which one**,
how many, or **whose**. Adjectives can be **descriptive**
or **limiting**.

A **descriptive adjective** tells **what kind** about a
noun or pronoun. It **describes** how a noun or pronoun
looks, **smells**, **sounds**, **feels**, or **tastes**.

What Kind

look: I bought a **red** *shirt*.

smell: Those are **fragrant** *flowers*.

sound: You listen to **loud** *music*.

feel: That is a **soft** *pillow*.

taste: He ate the **salty** *chips*.

In these examples, the adjective *red* describes the
noun *shirt*, the adjective *fragrant* describes the noun
flowers, the adjective *loud* describes the noun *music*,
the adjective *soft* describes the noun *pillow*, and the
adjective *salty* describes the noun *chips*. All of these
adjectives tell **what kind** about the **nouns** they
describe.

More examples:

look: A **bright** *light* appeared in the window.

*(The descriptive adjective **bright** modifies the noun **light**. It tells what kind.)*

smell: I could smell the **sour** *milk*.

*(The descriptive adjective **sour** modifies the noun **milk**. It tells what kind.)*

sound: He drives a **noisy** *car*.

*(The descriptive adjective **noisy** modifies the noun **car**. It tells what kind.)*

feel: That is **cold** *water*!

*(The descriptive adjective **cold** modifies the noun **water**. It tells what kind.)*

taste: Mom makes **delicious** *brownies*.

*(The adjective **delicious** modifies the noun **brownies**. It tells what kind.)*

4.2 Limiting Adjectives

A **limiting adjective** tells **which one**, **how many**, or **whose** about a noun or pronoun.

Which One

The demonstrative pronouns **this**, **that**, **these**, and **those** are often used as **limiting adjectives** to tell **which one** about a **noun**. They point out a **specific** noun and are called **demonstrative adjectives**.

This *library* is large.

That *song* is beautiful.

Did you buy **these** *grapes*?

Those *flowers* are lovely.

In these examples, the demonstrative adjective *this* modifies the noun *library*, the demonstrative adjective *that* modifies the noun *song*, the demonstrative adjective *these* modifies the noun *grapes*, and the demonstrative adjective *those* modifies the noun *flowers*. They tell **which one** by pointing out these **nouns**.

Remember, when **this**, **that**, **these**, and **those** modify **nouns** they are **demonstrative adjectives**. When they are used alone and **not** followed by a noun, they are **demonstrative pronouns** (Lesson 2.9).

More examples:

I like **this** *shell*.

*(The demonstrative adjective **this** modifies the noun **shell**. It tells **which one**.)*

Was **that** *girl* your sister?

*(The demonstrative adjective **that** modifies the noun **girl**. It tells **which one**.)*

These *photographs* are old.

*(The demonstrative adjective **these** modifies the noun **photographs**. It tells **which one**.)*

George grew **those** *tomatoes*.

*(The demonstrative adjective **those** modifies the noun **tomatoes**. It tells **which one**.)*

Ordinal numbers such as **first, second, third,** and so on, are **limiting adjectives** that tell **which one** about a **noun.**

Marlene is the **first** *person* in line.

I am the **third** *child* in my family.

Ours is the **sixth** *house* on the left.

In these examples, the adjective *first* modifies the noun **person,** the adjective *third* modifies the noun **child,** and the adjective *sixth* modifies the noun **house.** They tell **which one** about the **nouns** they modify.

More examples:

Did you hear the **second** *siren*?
*(The adjective **second** modifies the noun **siren.** It tells **which one**.)*

That is the **fourth** *movie* I have seen this week.
*(The adjective **fourth** modifies the noun **movie.** It tells **which one**.)*

The **fifth** *door* down the hall is the bathroom.
*(The adjective **fifth** modifies the noun **door.** It tells **which one**.)*

How Many

Numbers can be used as **adjectives** to modify the noun by telling **how many**. **Number words** such as **one**, **three**, and **five** are **limiting adjectives** that tell **how many**.

Danny saw **two** *wasps* on the porch.

Four *dolphins* raced through the water.

Mom bought **six** *roses* for her vase.

In these examples, the adjective *two* modifies the noun *wasps*, the adjective *four* modifies the noun *dolphins*, and the adjective *six* modifies the noun *roses*. They tell **how many** about the **nouns** they modify.

More examples:

I ate **one** *apple*.

*(The adjective **one** modifies the noun **apple**. It tells **how many**.)*

Sheila has **five** *brothers*.

*(The adjective **five** modifies the noun **brothers**. It tells **how many**.)*

Seven *children* played in the yard.

*(The adjective **seven** modifies the noun **children**. It tells **how many**.)*

Indefinite numbers can also be used as **adjectives**. Words such as **each**, **both**, **few**, **several**, and **many** are **indefinite pronouns** used as **limiting adjectives** to tell **how many**. They **suggest** a **number** without giving the exact amount.

Each *family* bought a ticket.

Many *people* attended the event.

Few *seats* were empty.

In these examples, the adjective **each** modifies the noun **family**, the adjective **many** modifies the noun **people**, and the adjective **few** modifies the noun **seats**. Without being exact, they tell **how many** about the **nouns** they modify.

More examples:

Are **both** *girls* your sisters?

*(The adjective **both** modifies the noun **girls**. It tells **how many**.)*

Several *letters* were in the mail.

*(The adjective **several** modifies the noun **letters**. It tells **how many**.)*

Each *man* bought a hammer.

*(The adjective **each** modifies the noun **man**. It tells **how many**.)*

<u>Whose</u>

Possessive nouns such as **Pat's**, **swimmer's**, and **book's** are **limiting adjectives** that **modify** a noun by telling **whose**.

Pat's *dog* is extremely friendly.

The **swimmer's** *trunks* are blue.

That **book's** *pages* are ripped.

In these examples, the adjective **Pat's** modifies the noun **dog**, the adjective **swimmer's** modifies the noun **trunks**, and the adjective **book's** modifies the noun **pages**. They tell **whose** about the **nouns** they modify.

More examples:

My **uncle's** *farm* has many cows.

*(The adjective **uncle's** modifies the noun **farm**. It tells **whose** farm.)*

That **girl's** *mother* is an interior designer.

*(The adjective **girl's** modifies the noun **mother**. It tells **whose** mother.)*

The **explorers'** *stories* were thrilling.

*(The adjective **explorers'** modifies the noun **stories**. It tells **whose** stories.)*

Some **possessive pronouns** such as **my**, **our**, **your**, **their**, **her**, **his**, and **its** are **limiting adjectives** that **modify** a noun by telling **whose**.

I saw **my** *grandmother* at the store.

Their *car* needs new tires.

His *name* is John Santiago.

In these examples, the adjective **my** modifies the noun **grandmother**, the adjective **their** modifies the noun **car**, and the adjective **his** modifies the noun **name**. They tell **whose** about the **nouns** they modify.

More examples:

Our *vacation* was exciting.
*(The adjective **our** modifies the noun **vacation**. It tells **whose** vacation.)*

Is that **your** *coat*?
*(The adjective **your** modifies the noun **coat**. It tells **whose** coat.)*

Her *dream* was to sing on stage.
*(The adjective **her** modifies the noun **dream**. It tells **whose** dream.)*

An **article** is a word used before a noun that lets you know that the noun is coming. There are two types of **articles**, which are **indefinite** and **definite**.

A and **an** are **indefinite articles**. Use **a** or **an** when you are talking about **any** person, place or thing.

Use the article **a** before a **singular** noun that **begins** with a **consonant sound**.

a <u>s</u>ong   a <u>m</u>ovie   a <u>n</u>ame   a <u>t</u>able   a <u>p</u>erson

Use the article **an** before a **singular** noun that **begins** with a **vowel sound**.

an <u>a</u>pe   an <u>e</u>rror   an <u>i</u>cicle   an <u>o</u>range   an <u>u</u>ncle

The is a **definite article**. Use **the** when you are talking about a **specific** person, place, or thing. **The** can be used with **singular** and **plural nouns**.

the actor   **the** Taj Mahal   **the** computer
(a specific person)   (a specific place)   (a specific thing)

4.3 Adjectives and Commas

When a sentence contains at least two **descriptive adjectives** that follow each other and describe the same noun, a comma is necessary to separate them. These are called **coordinate adjectives**.

One way to check if a **comma** is necessary **between** two adjectives is to **join** the **adjectives** with the word **and**. If this does **not** change the meaning of the sentence, then a **comma** is **necessary**.

Example: The horse drank the **cold fresh** water.

Adding And: The horse drank the **cold** <u>and</u> **fresh** water.

Correct: The horse drank the **cold, fresh** water.

Example: Enrique sat beneath the **tall shady** tree.

Adding And: Enrique sat beneath the **tall** <u>and</u> **shady** tree.

Correct: Enrique sat beneath the **tall, shady** tree.

Both of the previous examples show instances where a **comma** is **necessary**. The sentences sound **correct** with the word **and** inserted **between** the **adjectives**.

Another way to decide if a **comma** is necessary is to **reverse** the **order** of the **adjectives**. If the sentence still sounds **correct**, then a **comma** is **necessary**.

Example: Mom planted seeds in the **black fertile** soil.

Changing Adjective Order: Mom planted seeds in the **fertile black** soil.

Correct: Mom planted seeds in the **black, fertile** soil.

Example: The **lively bustling** city was exciting.

Changing Adjective Order: The **bustling lively** city was exciting.

Correct: The **lively, bustling** city was exciting.

Both of the previous examples show instances where a **comma** is necessary. The sentences still sound correct when the **adjective order** is **changed**.

Do **not** use a **comma** between an **adjective** and the **noun** it describes.

Incorrect: A large, hungry, lion is on the prowl.

Correct: A large, hungry lion is on the prowl.

Incorrect: China is an enormous, beautiful, country.

Correct: China is an enormous, beautiful country.

Do **not** use a **comma** to separate **adjectives** that must stay in a **particular** order. A comma is **not** used after a **limiting adjective**.

Example: **That brown** *telephone* is old.
                        ↑   ↑
                  Limiting Descriptive
                  Adjective Adjective

Use the two ways that you learned earlier in this lesson to determine if a **comma** is necessary between the adjectives **that** and **brown**.

Adding
And: **That <u>and</u> brown** telephone is old.

Changing
Adjective
Order: **Brown that** telephone is old.

Correct: **That brown** telephone is old.

Commas are **not** required in the above example because the word **and** cannot be used between the **adjectives** in the sentence. In addition, the **order** of the adjectives **cannot** be **changed** because the sentence would not make sense.

Another
Example: Thomas ate **one delicious** peach.

                       ↑   ↑
                    Limiting Descriptive
                    Adjective Adjective

Again, use the two ways that you learned earlier in this lesson to determine if a **comma** is necessary between the adjectives **one** and **delicious**.

Adding
And: Thomas ate **one** and **delicious** peach.

Changing
Adjective
Order: Thomas ate **delicious one** peach.

Correct: Thomas ate **one delicious** peach.

Commas are **not** required in the above example because the word **and** cannot be used between the **adjectives** in the sentence. In addition, the **order** of the adjectives **cannot** be **changed** because the sentence would not make sense.

4.4 Diagramming Adjectives

On a sentence **diagram**, an **adjective** is placed on a slanted line under the **subject**, **direct object**, **indirect object**, or **predicate noun** it describes.

Each *family* bought tickets.

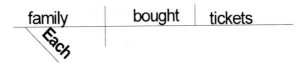

George grew **those** *tomatoes*.

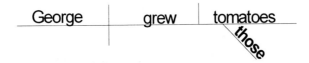

Mom cooked **her** *aunt* dinner.

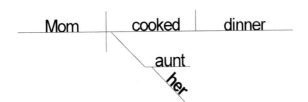

Dad gave **my** *brother* and me cookies.

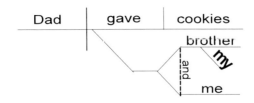

Daniel is a **tall** *man*.

Kathleen is **a good** *dancer* and **a wonderful** *singer*.

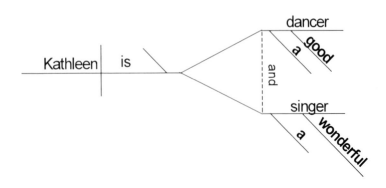

4.5 Comparison with Adjectives

Many adjectives are used to **compare** nouns or pronouns. There are **three degrees** of **comparison**: **positive**, **comparative**, and **superlative**.

Positive Degree

The **positive degree** of an **adjective** describes **one** noun or pronoun **without** making a **comparison**.

Your car is **fast**.

Jerome is **cheerful**.

Comparative Degree

The **comparative degree** of an **adjective** compares **two** nouns or pronouns. Form the comparative of most **one-syllable** and **some two-syllable adjectives** by adding **-er**. For **most** adjectives with **two or more syllables**, add the word **more** before the **adjective**.

Your car is **fast<u>er</u>** than my car.

Jerome is <u>**more**</u> **cheerful** than his brother.

Superlative Degree

The **superlative degree** of an **adjective** compares **three or more** nouns or pronouns. Form the superlative of most **one-syllable** and **some two-syllable adjectives** by adding **-est**. For **most** adjectives with **two or more syllables**, add the word **most** before the **adjective**.

Your car is the **fast<u>est</u>** car of all.

Jerome is the **<u>most</u> cheerful** boy I know.

Positive	Comparative	Superlative
hot	hotter	hottest
big	bigger	biggest
nice	nicer	nicest
noisy	noisier	noisiest
happy	happier	happiest
funny	funnier	funniest
shiny	shinier	shiniest
difficult	more difficult	most difficult
crowded	more crowded	most crowded
generous	more generous	most generous
expensive	more expensive	most expensive
impressive	more impressive	most impressive

Do **not** add **-er** to an **adjective** at the same time you use **more**.

Incorrect: Robert is more stronger than his brother.
Correct: Robert is **stronger** than his brother.

Incorrect: The store is more crowdeder now than earlier.
Correct: The store is **more crowded** now than earlier.

Also, do **not** add **-est** to an **adjective** at the same time you use **most**.

Incorrect: Today is the most coldest day of the year.
Correct: Today is the **coldest** day of the year.

Incorrect: Spot is the most activest puppy of the litter.
Correct: Spot is the **most active** puppy of the litter.

Some **adjectives** form their **comparative** and **superlative degrees** in an **irregular** way.

<u>Positive</u>	<u>Comparative</u>	<u>Superlative</u>
good	better	best
bad	worse	worst
much	more	most
little	less	least

4.6 Predicate Adjectives

Often an **adjective** follows a **linking verb** to describe the **subject** of the sentence. This is called a **predicate adjective**. A **predicate adjective** appears in the **predicate** part of the sentence.

These *tomatoes* <u>are</u> **ripe**.

The *stew* <u>smells</u> **delicious**.

In the first example, the word **ripe** is a **predicate adjective** that follows the linking verb **are**. **Ripe** describes the subject **tomatoes**. In the second example, the word **delicious** is a **predicate adjective** that follows the linking verb **smells**. **Delicious** describes the subject **stew**.

More examples:

The *air* <u>feels</u> **cold**.

*(The predicate adjective **cold** follows the linking verb **feels**. Cold describes the subject **air**.)*

Your *puppy* <u>is</u> **cute**.

*(The predicate adjective **cute** follows the linking verb **is**. Cute describes the subject **puppy**.)*

He <u>sounds</u> **sick**.

*(The predicate adjective **sick** follows the linking verb **sounds**. Sick describes the subject **he**.)*

Sometimes a sentence has **more than one predicate adjective**. This is called a **compound predicate adjective**.

My *grandfather* <u>is</u> **brave** and **intelligent**.

The *flowers* <u>look</u> **pale** but **beautiful**.

In the first example, the words **brave** and **intelligent** are **predicate adjectives** that follow the linking verb **is**. **Brave** and **intelligent** describe the subject **grandfather**. In the second example, the words **pale** and **beautiful** are **predicate adjectives** that follow the linking verb **look**. **Pale** and **beautiful** describe the subject **flowers**.

More examples:

The *children* <u>are</u> **tired** and **hungry**.

*(The predicate adjectives **tired** and **hungry** follow the linking verb **are**. **Tired** and **hungry** describe the subject **children**.)*

He <u>looks</u> **confused** or **scared**.

*(The predicate adjectives **confused** and **scared** follow the linking verb **looks**. **Confused** and **scared** describe the subject **he**.)*

This *work* <u>is</u> **difficult** but **necessary**.

*(The predicate adjectives **difficult** and **necessary** follow the linking verb **is**. **Difficult** and **necessary** describe the subject **work**.)*

4.7 Diagramming Predicate Adjectives

Diagram a **predicate adjective** the same way as a **predicate nominative** (see Lesson 3.10).

Place the **predicate adjective** on the same line with the **subject** and **linking verb**. The **predicate adjective** is separated from the **linking verb** by a short diagonal line that does not break through the horizontal line.

subject | linking verb \ predicate adjective

Examples:

These *tomatoes* <u>are</u> **ripe**.

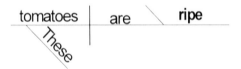

The *stew* <u>smells</u> **delicious**.

On a sentence **diagram**, place each **adjective** of a **compound predicate adjective** after the diagonal line on horizontal lines, one above the other, joined by diagonal lines. Place the **conjunction** on a dotted line that connects the **predicate adjective** lines.

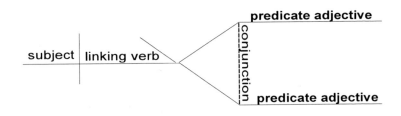

Examples:

My *grandfather* <u>is</u> **brave** and **intelligent**.

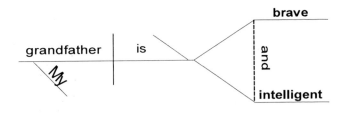

The *flowers* <u>look</u> **pale** but **beautiful**.

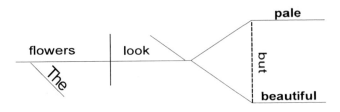

4.8 Appositive Adjectives and Proper Adjectives

An **appositive adjective** modifies the noun or pronoun it follows.   **Appositive adjectives** usually come in **pairs** and are joined by a **conjunction** such as **and**, **but**, or **or**. **Commas** are typically placed **before** the **first adjective** and **after** the **last adjective** to set off the **appositive adjectives** in the sentence.

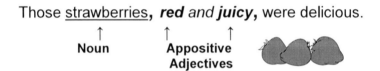

Those <u>strawberries</u>**, *red* and *juicy*,** were delicious.

      ↑   ↑   ↑

   Noun   **Appositive**

                 Adjectives

In this example, the **appositive** adjectives *red* and *juicy* describe the noun *strawberries*.

More examples:

The <u>bear</u>**, *hungry* and *determined*,** stalked its prey.

*(The **appositive** adjectives **hungry** and **determined** describe the noun **bear**.)*

Two <u>swans</u>**, *white* and *graceful*,** flew through the sky.

*(The **appositive** adjectives **white** and **graceful** describe the noun **swans**.)*

A **proper adjective** is formed by adding an ending to a **proper noun**. A **proper adjective** begins with a **capital letter**, but the **common noun** that follows the proper adjective is usually **not capitalized**.

This **Italian** *town* has a fascinating history.

My family loves **Korean** *food.*

In these examples, the words **Italian** and **Korean** are **proper adjectives** derived from the proper nouns **Italy** and **Korea**. Notice that the common nouns **town** and **food** are not capitalized.

Some **proper adjectives** end with **-an** or **-ian**.

Proper noun	Proper adjective
America	**American** student
Africa	**African** nation
Canada	**Canadian** flag
Germany	**German** language
Europe	**European** crystal
Hawaii	**Hawaiian** pineapple
India	**Indian** custom
Mexican	**Mexican** village
Nigeria	**Nigerian** friend
Peru	**Peruvian** pottery
Rome	**Roman** coin

Some **proper adjectives** end with **-ese** or **-ish** or have **other endings** or **spellings**.

Proper noun	Proper adjective
China	**Chinese** painting
Japan	**Japanese** flowers
Britain	**British** queen
England	**English** people
Ireland	**Irish** monastery
Poland	**Polish** sausage
Spain	**Spanish** culture
Greece	**Greek** dance
France	**French** food
Iceland	**Icelandic** cities
Switzerland	**Swiss** cheese

Some **proper adjectives** are just **proper nouns** used as **adjectives**. The spelling does not change.

Proper noun	Proper adjective
Florida	**Florida** beaches
July	**July** fireworks
Broadway	**Broadway** play

Check in a **dictionary** if you are unsure how to write a **proper adjective**.

Chapter 4 Review - Part 1

Descriptive Adjectives: An **adjective** is a word that **modifies** or **describes** a **noun** or a **pronoun** by telling **what kind**, **which one**, **how many**, or **whose**. Adjectives can be **descriptive** or **limiting**.

   A **descriptive adjective** tells **what kind** about a noun or pronoun. It **describes** how a noun or pronoun **looks**, **smells**, **sounds**, **feels**, or **tastes**.

Limiting Adjectives: A **limiting adjective** tells **which one**, **how many**, or **whose** about a noun or pronoun.

-The demonstrative pronouns **this**, **that**, **these**, and **those** are often used as **limiting adjectives** to tell **which one** about a **noun**. They point out a **specific** noun and are called **demonstrative adjectives**.

-Ordinal numbers such as **first**, **second**, **third**, and so on, are **limiting adjectives** that tell **which one** about a **noun**.

-**Numbers** can be used as **adjectives** to modify the noun by telling **how many**. **Number words** such as **one**, **three**, and **five** are **limiting adjectives** that tell **how many**.

-**Indefinite numbers** can also be used as **adjectives**. Words such as **each**, **both**, **few**, **several**, and **many** are **indefinite pronouns** used as **limiting adjectives** to tell **how many**. They **suggest** a **number** without giving the exact amount.

-**Possessive nouns** such as **Pat's**, **swimmer's**, and **book's** are **limiting adjectives** that **modify** a noun by telling **whose**.

-Some **possessive pronouns** such as **my**, **our**, **your**, **their**, **her**, **his**, and **its** are **limiting adjectives** that **modify** a noun by telling **whose**.

   An **article** is a word used before a noun that lets you know that the noun is coming. There are two types of **articles**, which are **indefinite** and **definite**.

-**A** and **an** are **indefinite articles**. Use **a** or **an** when you are talking about **any** person, place or thing.
-Use the article **a** before a **singular** noun that **begins** with a **consonant sound**.
-Use the article **an** before a **singular** noun that **begins** with a **vowel sound**.
-**The** is a **definite article**. Use **the** when you are talking about a **specific** person, place, or thing. **The** can be used with **singular** and **plural nouns**.

Adjectives and Commas: When a sentence contains at least two **descriptive adjectives** that follow each other and describe the same noun, a comma is necessary to separate them.

-One way to check if a **comma** is necessary **between** two adjectives is to **join** the **adjectives** with the word **and**. If this does **not** change the meaning of the sentence, then a **comma** is **necessary**.

-Another way to decide if a **comma** is necessary is to **reverse** the **order** of the **adjectives**. If the sentence still sounds **correct**, then a **comma** is **necessary**.

-Do **not** use a **comma** between an **adjective** and the **noun** it describes.

-Do **not** use a **comma** to separate **adjectives** that must stay in a **particular** order. A comma is **not** used after a **limiting adjective**.

Diagramming Adjectives: On a sentence **diagram**, an **adjective** is placed on a slanted line under the **subject**, **direct object**, **indirect object**, or **predicate noun** it describes.

Each *family* bought tickets.

Chapter 4 Review - Part 2

Comparison with Adjectives: Many adjectives are used to **compare** nouns or pronouns. There are **three degrees** of comparison: **positive**, **comparative**, and **superlative**.

-The **positive degree** of an **adjective** describes **one** noun or pronoun **without** making a **comparison**.

-The **comparative degree** of an **adjective** compares **two** nouns or pronouns. Form the comparative of most **one-syllable** and **some two-syllable adjectives** by adding **-er**. For **most** adjectives with **two or more syllables**, add the word **more** before the **adjective**.

-The **superlative degree** of an **adjective** compares **three or more** nouns or pronouns. Form the superlative of most **one-syllable** and **some two-syllable adjectives** by adding **-est**. For **most** adjectives with **two or more syllables**, add the word **most** before the adjective.

-Do **not** add **-er** to an **adjective** at the same time you use **more**.

-Also, do **not** add **-est** to an adjective at the same time you use **most**.

-Some **adjectives** form their **comparative** and **superlative degrees** in an **irregular** way.

Predicate Adjectives: Often an **adjective** follows a **linking verb** to describe the **subject** of the sentence. This is called a **predicate adjective**. A **predicate adjective** appears in the **predicate** part of the sentence. Sometimes a sentence has **more than one predicate adjective**. This is called a **compound predicate adjective**.

Diagramming Predicate Adjectives: Diagram a **predicate adjective** the same way as a **predicate noun**. Place the **predicate adjective** on the same line with the **subject** and **linking verb**. The **predicate adjective** is separated from the **linking verb** by a short diagonal line that does not break through the horizontal line.

subject | linking verb \ predicate adjective

On a sentence **diagram**, place each **adjective** of a **compound predicate adjective** after the diagonal line on horizontal lines, one above the other, joined by diagonal lines. Place the **conjunction** on a dotted line that connects the **predicate adjective** lines.

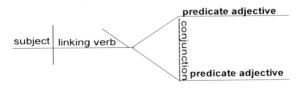

<u>Appositive Adjectives and Proper Adjectives</u>: An **appositive adjective** modifies the noun or pronoun it follows. **Appositive adjectives** usually come in **pairs** and are joined by a **conjunction** such as **and**, **but**, or **or**. **Commas** are typically placed **before** the **first adjective** and **after** the **last adjective** to set off the **appositive adjectives** in the sentence.

A **proper adjective** is formed by adding an ending to a **proper noun**. A **proper adjective** begins with a **capital letter**, but the **common noun** that follows the proper adjective is usually **not capitalized**.

-Some **proper adjectives** end with **-an** or **-ian**.
-Some **proper adjectives** end with **-ese** or **-ish** or have other endings or spellings.
-Some **proper adjectives** are just **proper nouns** used as **adjectives**. The spelling does not change.

Check in a dictionary if you are unsure how to write a **proper adjective**.

Chapter 5

Adverbs

5.1 Adverbs

Adverbs are **describing** words. They tell us more about other words. An **adverb** can **modify** a **verb**, an **adjective**, or another **adverb** by telling **how**, **when**, **where**, **how often**, or **to what extent** about the word it modifies.

Below is a list of some **adverbs** that tell **how**, **when**, **where**, **how often**, and **to what extent**.

How?	easily, quietly, slowly, quickly, warmly, carefully, suddenly, loudly, softly, fast
When?	now, then, later, soon, yesterday, today, tomorrow, whenever, first, immediately
Where?	here, there, away, up, down, outside, inside, near, forward, nowhere, everywhere, in, out
How Often?	never, always, often, seldom, once, sometimes, frequently, yearly
To What Extent?	quite, very, somewhat, extremely, almost, too, so, really, barely, far, scarcely

Most adverbs modify **verbs** by telling **how**, **when**, **where**, **how often**, or **to what extent** about the **verb**. **Adverbs** either **precede** or **follow** the **verb** they modify.

The jogger <u>ran</u> **quickly**.

The jogger <u>ran</u> **today**.

The jogger <u>ran</u> **outside**.

The jogger <u>ran</u> **once**.

The jogger **almost** <u>ran</u>.

In these examples, the words *quickly*, *today*, *outside*, *once*, and *almost* are **adverbs** that describe the verb *ran*.

More examples:

Our uncle <u>arrived</u> **first**.

*(The word **first** is an **adverb** that describes the verb **arrived**. It tells **when** our uncle **arrived**.)*

Camilla <u>speaks</u> **loudly**.

*(The word **loudly** is an **adverb** that describes the verb **speaks**. It tells **how** Camilla **speaks**.)*

The dog <u>ran</u> **away**.

*(The word **away** is an **adverb** that describes the verb **ran**. It tells **where** the dog **ran**.)*

The words **how**, **when**, and **where** are also **adverbs**.

How <u>did</u> the glass <u>break</u>?

When <u>did</u> the glass <u>break</u>?

Where <u>did</u> the glass <u>break</u>?

In these examples, the words *how*, *when*, and *where* are **adverbs** that describe the verb phrase ***did break***.

More examples:

How <u>does</u> he <u>feel</u>?

*(The word **how** is an **adverb** that describes the verb phrase **does feel**. It asks **how**.)*

When <u>did</u> she <u>leave</u>?

*(The word **when** is an **adverb** that describes the verb phrase **did leave**. It asks **when**.)*

Where <u>do</u> you <u>live</u>?

*(The word **where** is an **adverb** that describes the verb phrase **do live**. It asks **where**.)*

   To find the **verb** or **verb phrase**, reword **questions**
(such as the **questions** in the previous examples) by
placing the **subject** first, the **verb** or **verb phrase** next,
followed by the **adverb**.

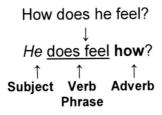

How does he feel?
↓
He <u>does feel</u> **how**?
↑   ↑   ↑
Subject   Verb   Adverb
          Phrase

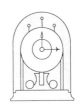

When did she leave?
↓
She <u>did leave</u> **when**?
↑   ↑   ↑
Subject   Verb   Adverb
          Phrase

Where do you live?
↓
You <u>do live</u> **where**?
↑   ↑   ↑
Subject Verb   Adverb
         Phrase

The words **not** (and its contraction form **n't**), **never**, **ever**, **hardly**, **barely**, **scarcely**, **surely**, and **always** are **adverbs** that are often found between a **helping verb** and a **main verb**. These words are **never** part of the verb phrase.

 He <u>can</u> **barely** <u>read</u> this letter.

In this example, the word **barely** is an **adverb** that interrupts the verb phrase **can read**. It modifies the verb phrase and tells **how** he **can read**.

More examples:

Ellen <u>will</u> **never** <u>sing</u> on stage.
*(The word **never** is an **adverb** that interrupts and modifies the verb phrase **will sing**.)*

Jacob <u>did</u> **not** <u>finish</u> his meal.
*(The word **not** is an **adverb** that interrupts and modifies the verb phrase **did finish**.)*

Dad <u>will</u> **surely** <u>wait</u> for you.
*(The word **surely** is an **adverb** that interrupts and modifies the verb phrase **will wait**.)*

Adverbs are often formed from **adjectives** by adding **-ly**.

Adjective: The **quiet** boy ate.

Adverb: The boy ate **quietly**.

In the first example, **quiet** is an **adjective** which modifies the noun **boy**. In the second example, when the ending **-ly** is added, the word **quietly** becomes an **adverb** which describes the verb **ate**.

More examples:

Adjective: The **reckless** child ran.

Adverb: The child ran **recklessly**.

Adjective: A **heavy** wave crashed on the beach.

Adverb: A **wave** crashed **heavily** on the beach.

5.2 Diagramming Adverbs that Modify Verbs

On a sentence diagram, an **adverb** is placed on a slanted line under the **verb** it describes.

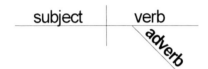

Examples:

The jogger <u>ran</u> **outside**.

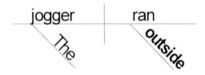

Our uncle <u>arrived</u> **first**.

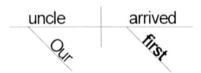

Camilla <u>speaks</u> **loudly**.

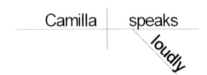

How <u>did</u> the glass <u>break</u>?

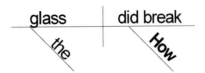

When <u>did</u> she <u>leave</u>?

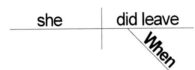

Where <u>do</u> you <u>live</u>?

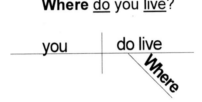

I <u>can</u> **barely** <u>read</u> this letter.

Jacob <u>did</u> **not** <u>finish</u> his meal.

5.3 Adverbs That Modify Adjectives

Adverbs modify not only **verbs** but also **adjectives**.

Words such as **too**, **very**, **so**, **quite**, **rather**, **entirely**, **unusually**, **extremely**, and **especially** are **adverbs of degree** that help describe **adjectives**.

An **adverb** that **modifies** an **adjective** comes immediately before the **adjective** it modifies.

Jon was a **very** *cautious* driver.
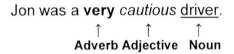
Adverb Adjective   Noun

In this example, the adverb **very** modifies the adjective **cautious**, which in turn modifies the noun **driver**.

More examples:

Wade is **extremely** *smart*.
↑   ↑   ↑
Noun   Adverb   Adjective

*(The adverb **extremely** modifies the predicate adjective **smart**, which in turn modifies the noun **Wade**.)*

These **rather** *delicious* <u>apples</u> are juicy.
    ↑   ↑   ↑
  Adverb Adjective   Noun

*(The adverb **rather** modifies the adjective **delicious**, which in turn modifies the noun **apples**.)*

Robert works for an **especially** *successful* <u>company</u>.
      ↑   ↑   ↑
   Adverb   Adjective   Noun

*(The adverb **especially** modifies the adjective **successful**, which in turn modifies the noun **company**.)*

This <u>pie</u> is **rather** *delicious*.
  ↑   ↑   ↑
 Noun   Adverb Adjective

*(The adverb **rather** modifies the predicate adjective **delicious**, which in turn modifies the noun **pie**.)*

5.4 Adverbs That Modify Other Adverbs

Adverbs occasionally modify other **adverbs**.

Words such as **too**, **very**, **so**, **quite**, **rather**, **entirely**, **almost**, **somewhat**, **surprisingly**, **perfectly**, **completely**, **unusually**, **extremely**, and **especially** are **adverbs of degree** that help modify other **adverbs**.

An **adverb** that **modifies** another **adverb** comes immediately before the **adverb** it describes.

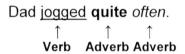

Dad <u>jogged</u> **quite** *often*.

In this example, the adverb **often** modifies the verb **jogged**. It tells **when** Dad **jogged**. The adverb **quite** modifies the adverb **often**. It tells **how often** Dad **jogged**.

More examples:

Gerald <u>sat</u> **perfectly** *still*.

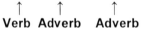

*(The adverb **still** modifies the verb **sat**. It tells **how** Gerald **sat**. The adverb **perfectly** modifies the adverb **still**. It tells **how still** Gerald **sat**.)*

The plants <u>grew</u> **very** *gradually.*
     ↑   ↑   ↑
  Verb Adverb Adverb

*(The adverb **gradually** modifies the verb **grew**. It tells **how** the plants **grew**. The adverb **very** modifies the adverb **gradually**. It tells **how gradually** the plants **grew**.)*

Donna <u>skates</u> **extremely** *well.*
     ↑   ↑   ↑
  Verb   Adverb Adverb

*(The adverb **well** modifies the verb **skates**. It tells **how** Donna **skates**. The adverb **extremely** modifies the adverb **well**. It tells **how well** Donna **skates**.)*

Mom <u>cuts</u> the tomato **rather** *carefully.*
    ↑   ↑   ↑
  Verb   Adverb Adverb

*(The adverb **carefully** modifies the verb **cuts**. It tells **how** Mom **cuts**. The adverb **rather** modifies the adverb **carefully**. It tells **how carefully** Mom **cuts**.)*

5.5 Diagramming Adverbs that Modify Adjectives and Other Adverbs

Adverbs that Modify Adjectives

Diagram an **adverb** beneath the **adjective** it modifies.

Jon was a **very** *cautious* <u>driver</u>.

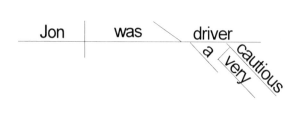

<u>Wade</u> is **extremely** *smart*.

These **rather** *delicious* <u>apples</u> are juicy.

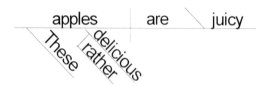

Adverbs that Modify Adverbs

Dad <u>jogged</u> **quite** *often*.

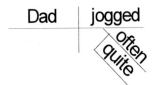

Gerald <u>sat</u> **perfectly** *still*.

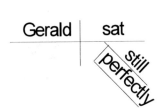

The plants <u>grew</u> **very** *gradually*.

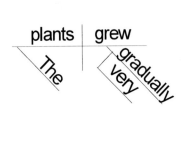

5.6 Comparison with Adverbs

Many **adverbs** are used to **compare** actions. There are **three degrees** of **comparison**: **positive**, **comparative**, and **superlative**.

Positive Degree

The **positive degree** of an **adverb** describes **one** action **without** making a **comparison**.

Your dog runs **fast**.

Juanita speaks **clearly**.

Comparative Degree

The **comparative degree** of an **adverb** compares **two** actions. Form the comparative of most **one-syllable** and **some two-syllable adverbs** by adding **-er**.   For **most** adverbs with **two or more syllables**, add the word **more** before the **adverb**.

Your dog runs **fast<u>er</u>** than my dog.

Juanita speaks <u>**more**</u> **clearly** than her sister does.

Superlative Degree

The **superlative degree** of an **adverb** compares **three or more** actions. Form the superlative of most **one-syllable** and **some two-syllable adverbs** by adding **-est**. For **most** adverbs with **two or more syllables**, add the word **most** before the **adverb**.

Your dog runs the **fast<u>est</u>** of all.

Juanita speaks <u>**most**</u> **clearly** of any girl I know.

Positive	Comparative	Superlative
late	later	latest
low	lower	lowest
close	closer	closest
high	higher	highest
hard	harder	hardest
early	earlier	earliest
carefully	more carefully	most carefully
quietly	more quietly	most quietly
suddenly	more suddenly	most suddenly
promptly	more promptly	most promptly
quickly	more quickly	most quickly
swiftly	more swiftly	most swiftly

Do **not** add **-er** to an **adverb** at the same time you use **more**.

Incorrect: He arrived more sooner than his friends did.
Correct: He arrived **sooner** than his friends did.

Incorrect: Martha sings more beautifullier than I do.
Correct: Martha sings **more beautifully** than I do.

Also, do **not** add **-est** to an **adverb** at the same time you use **most**.

Incorrect: Tara lives the most closest of all my cousins.
Correct: Tara lives the **closest** of all my cousins.

Incorrect: Shane helps most willingliest of all the boys.
Correct: Shane helps **most willingly** of all the boys.

Some **adverbs** form their **comparative** and **superlative degrees** in an **irregular** way.

Positive	Comparative	Superlative
well	better	best
badly	worse	worst
much	more	most
little	less	least
far	farther	farthest

5.7 Using Negatives Correctly

Negatives are words that mean **no** or **not**. The words **no**, **not**, the contraction for **not** (**n't**), **none**, **never**, **nowhere**, **nothing**, **nobody**, **no one**, **neither**, **scarcely**, and **barely** are common **negatives**.

Use only **one negative** in a sentence to avoid a **double negative**. A **double negative** is the use of two negative words in a sentence and is **incorrect**.

Double Negative: I do **not** have **no** money.

This example has a **double negative**. Both **not** and **no** are **negative words**.

Correct a **double negative** by either **removing** one of the **negative words** or by **changing** one of the **negative words**, as shown below.

Correct: I have **no** money.

-or-

Correct: I do **not** have **any** money.

More examples:

Double Negative: They **don't** want **no** assistance from you.

Correct: They want **no** assistance from you.

-or-

Correct: They **don't** want **any** assistance from you.

Double Negative: She **scarcely** did **not** recognize me.

Correct: She **scarcely** recognized me.

-or-

Correct: She **almost** did **not** recognize me.

Double Negative: He **couldn't** see **nothing** through the fog.

Correct: He **could** see **nothing** through the fog.

-or-

Correct: He **couldn't** see through the fog.

Chapter 5 Review - Part 1

Adverbs: Adverbs are **describing** words. They tell us more about other words. An **adverb** can **modify** a **verb**, an **adjective**, or another **adverb** by telling **how, when, where, how often**, or **to what extent** about the word it **modifies**. Adverbs either **precede** or **follow** the **verb** they modify. The words **how, when**, and **where** are also **adverbs**. To find the **verb** or **verb phrase**, reword **questions** by placing the **subject** first, the **verb** or **verb phrase** next, **followed** by the **adverb**.

The words **not** (and its contraction form **n't**), **never, ever, hardly, surely**, and **always** are adverbs that are often found between a **helping verb** and a **main verb**. These words are **never** part of the verb phrase.

Adverbs are often formed from **adjectives** by adding **-ly**.

Diagramming Adverbs that Modify Verbs: On a sentence diagram, an **adverb** is placed on a slanted line under the **verb** it describes.

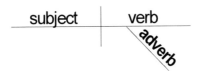

Adverbs That Modify Adjectives: **Adverbs** modify not only **verbs** but also **adjectives**. Words such as **too**, **very**, **so**, **quite**, **rather**, **entirely**, **unusually**, **extremely**, and **especially** are **adverbs** that help describe **adjectives**. An **adverb** that **modifies** an **adjective** comes immediately before the **adjective** it modifies.

Adverb That Modify Other Adverbs: **Adverbs** occasionally modify other **adverbs**. Words such as **too**, **very**, **so**, **quite**, **rather**, **entirely**, **almost**, **somewhat**, **surprisingly**, **perfectly**, **completely**, **unusually**, **extremely**, and **especially** are **adverbs** that help modify other **adverbs**. An **adverb** that **modifies** another **adverb** comes immediately before the **adverb** it describes.

Chapter 5 Review - Part 2

Diagramming Adverbs that Modify Adjectives:

Diagram an **adverb** beneath the **adjective** it modifies.

Jon was a **very** *cautious* <u>driver</u>.

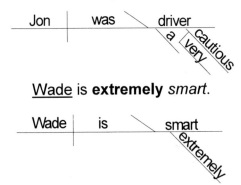

Wade is **extremely** *smart*.

These **rather** *delicious* <u>apples</u> are juicy.

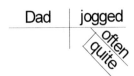

Diagramming Adverbs that Modify Adverbs:

Diagram an **adverb** beneath the **adverb** it modifies.

Dad <u>jogged</u> **quite** *often*.

Dad | jogged
often
quite

Comparison with Adverbs: There are **three degrees**
of **comparison**: **positive**, **comparative**, and
superlative. The **positive degree** describes **one**

action **without** making a **comparison**. The **comparative degree** compares **two** actions. Form the **comparative** of most **one-syllable** and **some two-syllable adverbs** by adding **-er**. For **most** adverbs with **two or more syllables**, add the word **more** before the **adverb**. The **superlative degree** compares **three or more** actions. Form the superlative of most **one-syllable** and **some two-syllable adverbs** by adding **-est**. For **most** adverbs with **two or more syllables**, add the word **most** before the **adverb**.

Do **not** add **-er** to an **adverb** at the same time you use **more**. Do **not** add **-est** to an **adverb** at the same time you use **most**. Some **adverbs** form their **comparative** and **superlative degrees** in **irregular** ways.

<u>Using Negatives Correctly</u>: The words **no**, **not**, the contraction for **not (n't)**, **none**, **never**, **nowhere**, **nothing**, **nobody**, **no one**, **neither**, **scarcely**, and **barely** are common **negatives**. Use only **one negative** in a sentence to avoid a **double negative**. A **double negative** is the use of two negative words in a sentence and is **incorrect**. Correct a **double negative** by either **removing** one of the **negative words** or by **changing** one of the **negative words**.

Chapter 6

Prepositions and Other Parts of Speech

6.1 Prepositions

A **preposition** shows the relationship of a **noun** or **pronoun** to another word in the sentence.

The *girl* **on** the *beach* ran quickly.

The *girl* **near** the *beach* ran quickly.

The *girl* **across** the *beach* ran quickly.

The *girl* **down** the *beach* ran quickly.

The *girl* **from** the *beach* ran quickly.

In these examples, the prepositions **on**, **near**, **across**, **down**, and **from** show how the word **girl** is related to the noun **beach**.

More examples:

The *bird* **inside** the *cage* is loud.

*(The preposition **inside** tells how the word **bird** is related to the noun **cage**.)*

That *present* **with** blue *paper* is mine.

*(The preposition **with** tells how the word **present** is related to the noun **paper**.)*

The *horse* **inside** the *stable* runs far.

*(The preposition **inside** tells how the word **horse** is related to the noun **stable**.)*

The most **commonly used prepositions** are listed below.

aboard	before	down	of	to
about	behind	during	off	toward
above	below	except	on	under
across	beneath	for	onto	underneath
after	beside	from	out	until
against	between	in	outside	up
along	beyond	inside	over	upon
among	by	into	past	with
around		like	since	within
at		near	through	without
			throughout	

The **noun** or **pronoun** that follows a **preposition** is the **object of the preposition**. A **preposition** always has an **object** and sometimes has **more than one**. To locate the **object of the preposition**, find the **preposition** and then ask **whom** or **what**.

Your pencil rolled **beneath** the <u>**bookcase**</u>.

       ↑   ↑
    Preposition   Object
                   of the
                 Preposition

In the first example, the **preposition** is **beneath**. Beneath **whom** or **what**? The **object of the preposition** is the noun **bookcase**.

More examples:

Sharon leaned **over** the big **railing**.

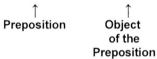

We walked **through** the deep **snow**.

Some **prepositions** have **two objects**.

He left **before Christopher** and **Jeffrey**.

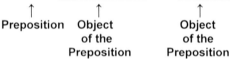

In this example, the **preposition** is **before**. Before **whom** or **what**? The **objects of the preposition** are **Christopher** and **Jeffrey**.

More examples:

The cat sat **beneath** the **table** and **chairs**.

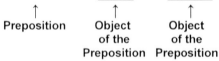

Byron left **without** a **jacket** or **umbrella**.

Some **prepositions** are **compound prepositions**. They contain more than one word. Below is a list of some **compound prepositions**.

according to	in addition to	instead of
along with	in front of	out of
because of	in spite of	prior to

Examples:

We ate burgers **instead of** <u>pizza</u>.

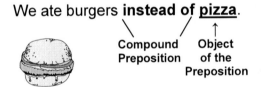

Compound Preposition   Object of the Preposition

The answer is wrong **according to** your <u>sister</u>.

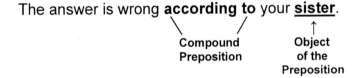

Compound Preposition   Object of the Preposition

He stayed home **because of** a <u>fever</u>.

Compound Preposition   Object of the Preposition

6.2 Prepositional Phrases

A **prepositional phrase** consists of a **preposition**, the **object of the preposition**, and any **words** in between. A **prepositional phrase** can occur at the **beginning**, the **middle**, or the **end** of a sentence.

Past the old *hospital* is my house.
↑
Prepositional Phrase

In this example, the **prepositional phrase** is **past the old hospital**. It begins with the preposition **past**, and ends with the object of the preposition **hospital**. All words in between are included in the **prepositional phrase**.

More examples:

Our cow grazes **beside** the red *barn*.
↑
Prepositional Phrase

The hat **upon** my *head* is new.
↑
Prepositional Phrase

On the kitchen *table* is your gift.
↑
Prepositional Phrase

Sentences can have **more than one prepositional phrase**.

Flowers **with** long *stems* grow **along** the white *fence*.
         ↑   ↑
    Prepositional   **Prepositional**
       Phrase   **Phrase**

In this example, the **prepositional phrases** are **with long stems** and **along the white fence**.

More examples:

Jim threw the ball **with** white *stripes* **toward** his *sister*.
                          ↑   ↑
                    Prepositional   **Prepositional**
                       Phrase   **Phrase**

Without any *reason* he walked **out** the *door*.
    ↑   ↑
Prepositional   **Prepositional**
   Phrase   **Phrase**

Dad sat **under** the *umbrella* **beside** *Mom*.
            ↑   ↑
       Prepositional   **Prepositional**
          Phrase   **Phrase**

6.3 Prepositional Phrases Used as Adjectives

A **prepositional phrase** can act like an **adjective** by modifying a **noun** or **pronoun**. This is called an **adjective phrase** and comes **immediately** after the word it modifies. It tells **what kind**, **how many**, or **which one**.

The *rug* **beneath our feet** is beautiful.

In this example, the prepositional phrase **beneath our feet** is an **adjective phrase**. It **modifies** the noun **rug** and tells **which one**.

More examples:

A *woman* **with white hair** smiled.

*(The **adjective** phrase **with white hair** modifies the noun **woman**.)*

Water **from a well** is delicious.

*(The **adjective** phrase **from a well** modifies the noun **water**.)*

That *glass* **of milk** has turned sour.

*(The **adjective** phrase **of milk** modifies the noun **glass**.)*

Adjective phrases can **modify** nouns functioning as **subjects**, **direct objects**, **indirect objects**, or **predicate nominatives**.

Modifying a Subject

The *turkey* <u>**in the pan**</u> is juicy.
    ↑   ↑
  Subject Adjective
         Phrase

Modifying a Direct Object

We bought *popcorn* <u>**with butter**</u>.
      ↑   ↑
    Direct   Adjective
    Object   Phrase

Modifying an Indirect Object

I wrote my *friend* <u>**from Texas**</u> a letter.
    ↑   ↑
  Indirect Adjective
  Object   Phrase

Modifying a Predicate Nominative

My uncle is the *man* <u>**across the street**</u>.
     ↑   ↑
  Predicate Adjective
  Nominative Phrase

6.4 Prepositional Phrases Used as Adverbs

A **prepositional phrase** can also act like an **adverb** by modifying a **verb**, **adjective**, or **adverb**. This is called an **adverb phrase** and can appear **anywhere** in the sentence. It tells **how**, **when**, **where**, **how often**, or **to what extent**.

The dog jumped <u>over the fence</u>.

In this example, the prepositional phrase **over the fence** is an **adverb phrase**. It **modifies** the verb **jumped** and tells **where**.

More examples:

<u>Around the yard</u> the boys *ran*.
*(The **adverb** phrase **around the yard** modifies the verb **ran**.)*

Jeremy is *skillful* **<u>with paints</u>**.
*(The **adverb** phrase **with paints** modifies the adjective **skillful**.)*

This food is *too* spicy **<u>for me</u>**.
*(The **adverb** phrase **for me** modifies the adverb **too**.)*

An **adverb phrase** can modify a **verb, adjective, or adverb**.

Modifying a Verb

They *hiked* **through the woods**.

Verb   Adverb
              Phrase

Modifying an Adjective

The boys are *hungry* **for watermelon**.

Adjective   Adverb
             Phrase

Modifying an Adverb

Do you wake *early* **in the morning**?

Adverb   Adverb
            Phrase

6.5 Diagramming Prepositional Phrases Used as Adjectives

On a sentence **diagram**, a **prepositional phrase** is placed beneath the word it modifies.

Place the **preposition** on a diagonal line beneath the word it modifies. The **object of the preposition** is placed on a horizontal line attached to it. Modifiers of the **object of the preposition** are placed on diagonal lines beneath the object.

Adjective Phrases

Place an **adjective phrase** below the **noun** or **pronoun** it describes, similar to an **adjective**.

Modifying
a Subject: The *turkey* **in the pan** is juicy.

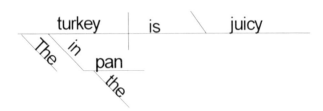

***Modifying
a Direct
Object:***   We bought *popcorn* **with butter**.

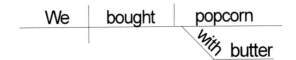

***Modifying
an Indirect
Object:***   I wrote my *friend* **from Texas** a letter.

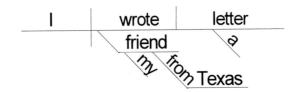

***Modifying
a Predicate
Nominative:***   My uncle is the *man* **across the street**.

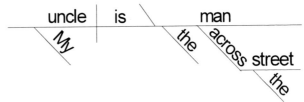

***Prepositional
Phrase with
Two Objects:***   Niki ate pizza **with cheese and sausage**.

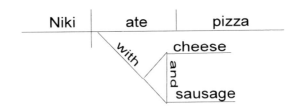

6.6 Diagramming Prepositional Phrases Used as Adverbs

Adverb Phrases

Place an **adverb phrase** below the **verb, adjective,** or **adverb** it describes, similar to an **adverb**.

***Modifying
a Verb:***   They *hiked* **through the woods**.

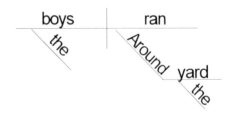

Around the yard the boys *ran*.

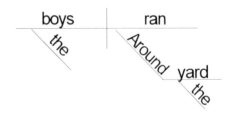

Modifying
an Adjective: The boys are *hungry* **for watermelon**.

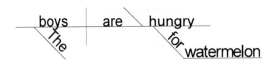

Jeremy is *skillful* **with paints**.

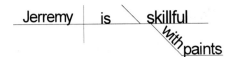

Modifying
an Adverb: Do you wake *early* **in the morning**?

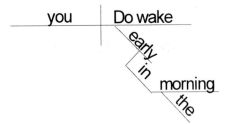

This food is *too* spicy **for me**.

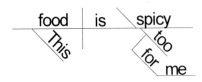

*Sentences
with Two
Prepositional
Phrases:*

The girl **at the table** ate **with her fingers**.

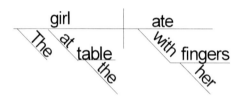

Robert celebrated **with his friends** **after the game**.

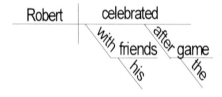

6.7 Preposition or Adverb?

It is often difficult to distinguish between a **preposition** and an **adverb**. Many words that can be used as **prepositions** can also be used as **adverbs**.

Just remember, a **preposition** always has an **object**, but an **adverb** does **not**.

Preposition: The insect flew <u>in the window</u>.

Adverb: We went **in**.

In the first example, the word **in** is a **preposition** and **window** is its **object**. **In the window** is a **prepositional phrase**. In the second example, the word **in** is an **adverb** telling **where** about the verb **went**.

More examples:

Preposition: We play <u>**behind** the house</u>.
(***Behind** is a **preposition**, and its **object** is **house**.)*

Adverb: The boy fell **behind**.
(***Behind** is an **adverb** modifying the verb **fell**.)*

Preposition: Casey ran **around** the track.

(**Around** is a **preposition**, and its **object** is **track**.)

Adverb: We will see you **around**.

(**Around** is an **adverb** modifying the verb phrase **will see**.)

Preposition: Dana walked **inside** the bank.

(**Inside** is a **preposition**, and its **object** is **bank**.)

Adverb: The meeting was held **inside**.

(**Inside** is an **adverb** modifying the verb phrase **was held**.)

Preposition: We walked **on** the new pavement.

(**On** is a **preposition**, and its **object** is **pavement**.)

Adverb: She turned the radio **on**.

(**On** is an **adverb** modifying the verb **turned**.)

6.8 Conjunctions

Conjunctions are words used to join words or groups of words.

The **coordinating** conjunctions *and*, *but*, *or*, *nor*, and *yet* are used to join **words**, **phrases**, or **sentences** that have the **same function** in a sentence. Two sentences joined by a **conjunction** form a **compound sentence**. We will discuss **compound sentences** more in Chapter 8.

Joins Two
Words: Joy **and** Lara raced down the hill.

Joins Two
Phrases: Mia reads in her room **or** on the porch.

Joins Two
Sentences: Juan needed help, **but** I did it myself.

More examples:

A small **but** vicious dog barked at me.
*(The **coordinating** conjunction **but** joins the words **small** and **vicious**.)*

Jack did not clean his room **nor** make his bed.
*(The **coordinating** conjunction **nor** joins the phrases **clean his room** and **make his bed**.)*

The actors were not ready, **yet** the curtain went up.
*(The **coordinating** conjunction **yet** joins the sentences **the actors were not ready** and **the curtain went up**.)*

The **correlative** conjunctions *either…or*, *neither…nor*, *both…and*, and *not only…but also* work in **pairs** to join **words**, **phrases**, and **sentences** that have the **same function** in a sentence.

Joins Two
Words: **Neither** <u>peas</u> **nor** <u>beans</u> taste good to me.

Joins Two
Phrases: I work **either** <u>in the yard</u> **or** <u>near the barn</u>.

Joins Two
Sentences: **Either** <u>you finish dinner,</u> **or** <u>you stay home</u>.

More examples:

The lecture was **both** *long* **and** *boring*.

*(The **correlative** conjunctions **both** and **and** join the words **long** and **boring**.)*

Joe will **either** <u>rake the lawn</u> **or** <u>trim the bushes</u>.

*(The **correlative** conjunctions **either** and **or** join the phrases **rake the lawn** and **trim the bushes**.)*

Not only <u>did I play well,</u> **but also** <u>I won the game</u>.

*(The **correlative** conjunctions **not only** and **but also** join the sentences **did I play well** and **I won the game**.)*

6.9 Interjections

An **interjection** is a word that expresses **feeling** or **emotion** and has **no grammatical relationship** to any other word in the sentence.

An **exclamation mark** follows an **interjection** that expresses **strong emotion**.

Ouch! I stubbed my toe!

Whew! That was close!

Wow! My sister failed her test!

Hooray! You won the race!

A **comma** follows an **interjection** that expresses **mild emotion**.

Oh, he lost my favorite pencil.

Hey, hold the elevator door.

Listen, I heard something.

Darn, I think it's going to rain.

Place an **interjection** on a separate line above the sentence, usually above and to the left of the **subject** on a sentence **diagram**.

Ouch! I stubbed my toe!

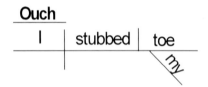

Oh, he lost my favorite pencil.

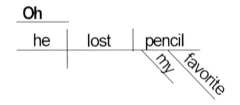

Wow! My sister failed her test!

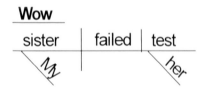

Chapter 6 Review - Part 1

Prepositions and Prepositional Phrases: A **preposition** shows the relationship of a **noun** or **pronoun** to another word in the sentence. The **noun** or **pronoun** that follows a **preposition** is the **object of the preposition**. A **preposition** always has an **object** and sometimes has **more than one**. To locate the **object of the preposition**, find the **preposition** and then ask **whom** or **what**. Some **prepositions** have **two objects**. Some **prepositions** are **compound prepositions**, which contain more than one word.

Prepositional Phrases: A **prepositional phrase** consists of a **preposition**, the **object of the preposition**, and any **words** in between. A **prepositional phrase** can occur at the **beginning**, the **middle**, or the **end** of a sentence. Sentences can have **more than one prepositional phrase**.

Prepositional Phrases Used as Adjectives: A **prepositional phrase** can act like an **adjective** by modifying a **noun** or **pronoun**. This is called an **adjective phrase** and comes **immediately** after the word it modifies. It tells **what kind**, **how many**, or **which one**. **Adjective phrases** can **modify** nouns functioning as **subjects**, **direct objects**, **indirect objects**, or **predicate nominatives**.

Prepositional Phrases Used as Adverbs: A **prepositional phrase** can also act like an **adverb** by modifying a **verb**, **adjective**, or **adverb**. This is called an **adverb phrase** and can appear **anywhere** in the sentence. It tells **how, when, where, how often**, or **to what extent**.

Diagramming Prepositional Phrases Used as Adjectives: On a sentence **diagram**, a **prepositional phrase** is placed beneath the word it modifies. Place the **preposition** on a diagonal line beneath the word it modifies. The **object of the preposition** is placed on a horizontal line attached to it. **Modifiers** of the **object of the preposition** are placed on diagonal lines beneath the object.

Place an **adjective phrase** below the **noun** or **pronoun** it describes, similar to an **adjective**.

*Modifying
a Subject:*   The *turkey* **in the pan** is juicy.

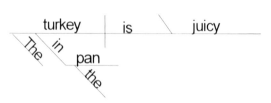

Modifying
a Direct
Object: We bought *popcorn* **with butter**.

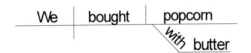

Modifying
an Indirect
Object: I wrote my *friend* **from Texas** a letter.

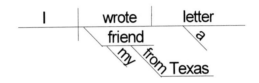

Modifying
a Predicate
Nominative: My uncle is the *man* **across the street**.

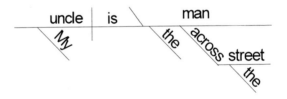

Chapter 6 Review - Part 2

Diagramming Prepositional Phrases Used as Adverbs: Place an **adverb phrase** below the **verb**, **adjective**, or **adverb** it describes, similar to an **adverb**.

Modifying a Verb: They *hiked* **through the woods**.

Modifying an Adjective: The boys are *hungry* **for a snack**.

Modifying an Adverb: Do you wake *early* **in the morning**?

Preposition or Adverb?: It is often difficult to distinguish between a **preposition** and an **adverb**. Many words that can be used as **prepositions** can also be used as **adverbs**. Just remember, a

preposition always has an **object**, but an **adverb** does **not**.

Conjunctions: **Conjunctions** are words used to join words or groups of words. The **coordinating** conjunctions **and**, **but**, **or**, **nor**, and **yet** join **words**, **phrases**, or **sentences** that have the **same function** in a sentence. Two sentences joined by a **conjunction** form a **compound sentence**. The **correlative** conjunctions **either**...**or**, **neither**...**nor**, **both**...**and**, and **not only**...**but also** work in **pairs** to join **words**, **phrases**, and **sentences** that have the **same function** in a sentence.

Interjections: An **interjection** is a word that expresses **feeling** or **emotion** and has **no grammatical relationship** to any other word in the sentence. An **exclamation mark** follows an **interjection** that expresses **strong emotion**. A **comma** follows an **interjection** that expresses **mild emotion**.

Place an **interjection** on a separate line above the sentence, usually above and to the left of the **subject** on a sentence **diagram**.

Ouch! I stubbed my toe!

Chapter 7

Verb Usage

7.1 Principle Parts of Regular Verbs

A **verb** has four **principle parts** to express different tenses (**time**). The **principle parts** of a **verb** are the **present, present participle, past,** and **past participle**.

The **principle parts** of the verbs **work** and **listen** are shown below.

Present
work

listen

Present Participle
(are) **working**

(is) **listening**

Past
worked

listened

Past Participle
(has) **worked**

(have) **listened**

Notice that the **present participle** and **past participle** require a **helping verb**.

For **action** that is occurring **now**, use either the **present** form alone or the **present participle** with a **helping verb**.

Present:	I **work** every day.
	They **listen** well.
Present Participle:	You *are* **working** now.
	She *is* **listening** to you.

Form the **present participle** by adding **-ing** to the **present** form along with a **helping verb** such as **am**, **is**, or **are**.

For **action** that has **already** occurred, use either the **past** form alone or the **past participle** with a **helping verb**.

Past:	We **worked** all week.
	They **listened** to the music.
Past Participle:	You *have* **worked** for three hours.
	He *has* **listened** to the lecture.

Form the **past** and **past participle** by adding **-ed** to the **present** form. The **past participle** requires a **helping verb** such as **has** or **have**.

Present	Present Participle (needs helping verb)	Past	Past Participle (needs helping verb)
lift	*(is)* lifting	lifted	(have) lifted
play	*(is)* playing	played	(have) played
call	*(is)* calling	called	(have) called
form	*(is)* forming	formed	(have) formed
act	*(is)* acting	acted	(have) acted
shout	*(is)* shouting	shouted	(have) shouted
camp	*(is)* camping	camped	(have) camped
protect	*(is)* protecting	protected	(have) protected

Often there are **spelling** changes needed when forming the **principle parts** of certain **verbs**. **Drop** the final **e** of some **verbs** when forming the **present participle**.

Present	Present Participle (needs helping verb)	Past	Past Participle (needs helping verb)
move	(is) moving	moved	(have) moved
race	(is) racing	raced	(have) raced
use	(is) using	used	(have) used
create	(is) creating	created	(have) created
arrive	(is) arriving	arrived	(have) arrived
change	(is) changing	changed	(have) changed
smile	(is) smiling	smiled	(have) smiled
live	(is) living	lived	(have) lived

Change the **y** changed to **i** of some **verbs** when forming the **past** and **past participle**.

Present	Present Participle (needs helping verb)	Past	Past Participle (needs helping verb)
copy	(is) copying	copied	(have) copied
marry	(is) marrying	married	(have) married
hurry	(is) hurrying	hurried	(have) hurried
carry	(is) carrying	carried	(have) carried
dry	(is) drying	dried	(have) dried
cry	(is) crying	cried	(have) cried
try	(is) trying	tried	(have) tried

Double the **final consonant** of some **verbs** when forming the **present participle**, **past**, and **past participle**.

Present	Present Participle (needs helping verb)	Past	Past Participle (needs helping verb)
grab	(is) grabbing	grabbed	(have) grabbed
step	(is) stepping	stepped	(have) stepped
slip	(is) slipping	slipped	(have) slipped
jog	(is) jogging	jogged	(have) jogged
hop	(is) hopping	hopped	(have) hopped
trap	(is) trapping	trapped	(have) trapped
rip	(is) ripping	ripped	(have) ripped
stop	(is) stopping	stopped	(have) stopped

7.2 Principle Parts of Irregular Verbs

Like regular verbs, **irregular verbs** also have **four principle parts**, which are **present**, **present participle**, **past**, and **past participle**.

However, the **past tense** and **past participle** of **irregular verbs** are **not** formed by adding **-d** or **-ed** as with regular verbs. Instead, these **principle parts** are formed in **other ways**.

Many **irregular verbs** have the same **past** and **past participle**.

Present	Present Participle (needs helping verb)	Past	Past Participle (needs helping verb)
bring	(is) bringing	brought	(have) brought
build	(is) building	built	(have) built
buy	(is) buying	bought	(have) bought
catch	(is) catching	caught	(have) caught
creep	(is) creeping	crept	(have) crept
dig	(is) digging	dug	(have) dug
feel	(is) feeling	felt	(have) felt
fight	(is) fighting	fought	(have) fought
find	(is) finding	found	(have) found
hold	(is) holding	held	(have) held

keep	(is) keeping	kept	(have) kept
leave	(is) leaving	left	(have) left
lend	(is) lending	lent	(have) lent
lose	(is) losing	lost	(have) lost
make	(is) making	made	(have) made
meet	(is) meeting	met	(have) met
pay	(is) paying	paid	(have) paid
say	(is) saying	said	(have) said
seek	(is) seeking	sought	(have) sought
sell	(is) selling	sold	(have) sold
send	(is) sending	sent	(have) sent
shoot	(is) shooting	shot	(have) shot
sleep	(is) sleeping	slept	(have) slept
spend	(is) spending	spent	(have) spent
stand	(is) standing	stood	(have) stood
swing	(is) swinging	swung	(have) swung
teach	(is) teaching	taught	(have) taught
tell	(is) telling	told	(have) told
think	(is) thinking	thought	(have) thought
weep	(is) weeping	wept	(have) wept
win	(is) winning	won	(have) won
wind	(is) winding	wound	(have) wound

Some **irregular verbs** have the same **present, past,** and **past participle.**

Present	Present Participle (needs helping verb)	Past	Past Participle (needs helping verb)
burst	(is) bursting	burst	(have) burst
cost	(is) costing	cost	(have) cost
cut	(is) cutting	cut	(have) cut
hit	(is) hitting	hit	(have) hit
hurt	(is) hurting	hurt	(have) hurt
let	(is) letting	let	(have) let
put	(is) putting	put	(have) put
read	(is) reading	read	(have) read
set	(is) setting	set	(have) set
shut	(is) shutting	shut	(have) shut

Some **irregular verbs** change in **different** ways.

Present	Present Participle (needs helping verb)	Past	Past Participle (needs helping verb)
begin	(is) beginning	began	(have) begun
bite	(is) biting	bit	(have) bitten
break	(is) breaking	broke	(have) broken
choose	(is) choosing	chose	(have) chosen
come	(is) coming	came	(have) come
do	(is) doing	did	(have) done
draw	(is) drawing	drew	(have) drawn

eat	(is) eating	ate	(have) eaten
fall	(is) falling	fell	(have) fallen
fly	(is) flying	flew	(have) flown
forget	(is) forgetting	forgot	(have) forgotten
freeze	(is) freezing	froze	(have) frozen
give	(is) giving	gave	(have) given
go	(is) going	went	(have) gone
grow	(is) growing	grew	(have) grown
know	(is) knowing	knew	(have) known
ride	(is) riding	rode	(have) ridden
ring	(is) ringing	rang	(have) rung
run	(is) running	ran	(have) run
see	(is) seeing	saw	(have) seen
shake	(is) shaking	shook	(have) shaken
sing	(is) singing	sang	(have) sung
sink	(is) sinking	sank	(have) sunk
speak	(is) speaking	spoke	(have) spoken
steal	(is) stealing	stole	(have) stolen
swim	(is) swimming	swam	(have) swum
take	(is) taking	took	(have) taken
tear	(is) tearing	tore	(have) torn
throw	(is) throwing	threw	(have) thrown
wear	(is) wearing	wore	(have) worn
write	(is) writing	wrote	(have) written

7.3 The Six Tenses of a Verb

There are **six tenses** for every **verb**. There are **three simple tenses** and **three perfect tenses**.

SIMPLE TENSES

The three **simple tenses** are **present**, **past**, and **future**.

Present Tense

Present tense verbs express **action** that is happening **now**. The **first principle part** (**present**) of a **verb** shows **present tense**.

I **play** the piano.

They **walk** to the store.

Add **-s** to a **singular subject** or the pronoun **he**, **she**, or **it** to show **present tense**.

She **plays** the piano.

The girl **walks** to the store.

Past Tense

Past tense verbs express **action** that took place in the **past**. The **action** has already **occurred**. The **third principle part** (**past**) of a **verb** shows **past tense**.

I **play<u>ed</u>** the piano.

They **walk<u>ed</u>** to the store.

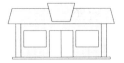

Future Tense

Future tense verbs express **action** that will happen in the **future**. The **first principle part** (**present**) of a **verb** with the **helping** verb **will** or **shall** shows **future tense**. **Shall** and **will** are used with the pronouns **I** and **we**. With all other **nouns** and **pronouns** only **will** is used.

I <u>**shall**</u> play the piano.

They <u>**will**</u> **walk** to the store.

PERFECT TENSES

The **perfect tense** of a **verb** shows the **completion** of an **action**. The three **perfect tenses** are **present perfect**, **past perfect**, and **future perfect**. Use the **past participle** of a **verb** with a form of the helping verb **have** to show **perfect tense**.

Present Perfect Tense

Use the **present perfect tense** to express **action** or a **condition** that **started in the past** and **has finished**, or an **action** that **started in the past** and is **still continuing**.

Use the helping verb **have** or **has** and the **past participle** of the **main verb** to form the **present perfect tense**.

The boys **have** learned how to read.

Sharon **has** been a teacher for many years.

The first example shows an **action** that began **in the past** and is now **finished**. The second example shows a condition that started **in the past** and is **still continuing**.

Have or Has + Past Participle = Present Perfect Tense

Past Perfect Tense

Use the **past perfect tense** to express an **action** or a **condition** that occurred **before another action** or **time** in the **past**.

Use the helping verb **had** and the **past participle** of the **main verb** to form the **past perfect tense**.

We went to see a movie after we **had** eaten dinner.

Before he arrived, she **had** cleaned the house.

The first example shows that the **action (had eaten)** occurred **before another action (went)** in the **past**. The second example shows that the **action (had cleaned)** occurred **before another action (arrived)** in the **past**.

Had + Past Participle = Past Perfect Tense

Future Perfect Tense

Use the **future perfect tense** to express an **action** or condition that will occur **before another action** or time in the **future**.

Use the verb phrase **will have** and the **past participle** of the **main verb** to form the **future perfect tense**.

By next April, she **will have** grown three inches.

I **will have** finished my chores before Maddy arrives.

The first example shows that the **action (will have grown)** will occur **before another time (next April)** in the **future**. The second example shows that the **action (will have finished)** will occur **before another action (arrives)** in the **future**.

Will Have + Past Participle = Present Perfect Tense

A **conjugation** is a list of all the singular and plural forms of a verb grouped by **tense**. The **conjugations** of the verb **work** are shown in the table below.

	Singular	*Plural*
Present		
First person:	I work	we work
Second person:	you work	you work
Third person:	he, she, it works	they work
Past		
First person:	I worked	we worked
Second person:	you worked	you worked
Third person:	he, she, it worked	they worked
Future		
First person:	I shall work	we shall work
Second person:	you will work	you will work
Third person:	he, she, it will work	they will work
Present Perfect		
First person:	I have worked	we have worked
Second person:	you have worked	you have worked
Third person:	he, she, it has worked	they have worked
Past Perfect		
First person:	I had worked	we had worked
Second person:	you had worked	you had worked
Third person:	he, she, it had worked	they had worked
Future Perfect		
First person:	I will have worked	we will have worked
Second person:	you will have worked	you will have worked
Third person:	he, she, it will have worked	they will have worked

7.4 Progressive Verb Forms

The **progressive form** of a verb shows **continuing action**. A form of the verb **be** combined with the **present participle** forms the **progressive**.

The **six progressive tenses** correspond to the **three simple tenses** (present, past, and future) and **three perfect tenses** (present perfect, past perfect, and future perfect).

Present progressive shows that a **present action** is **continuing**.

Present Progressive: I **am** baking today.

Past progressive shows a **continuous action** that occurred over a span of time in the **past**.

Past Progressive: I **was** baking yesterday.

Future progressive shows **action** that will continue some time in the **future**.

Future Progressive: I **will be** baking tomorrow.

Present perfect progressive shows a **continuous action** that **started** in the **past** and **continues** into the **present**.

Present
Perfect
Progressive: I **have been** baking all day.

Past perfect progressive shows a **continuous action** that was **completed** at some point in the **past**.

Past
Perfect
Progressive: I **had been** baking for an hour when it
started raining.

Future perfect progressive shows a **continuous action** that will be **completed** at some point in the **future**.

Future
Perfect
Progressive: I **will have been** baking all day by the
time he arrives.

The progressive forms of the verb *lift*:

	Singular	Plural

Present Progressive

First person:	I am lifting	we are lifting
Second person:	you are lifting	you are lifting
Third person:	he, she, it is lifting	they are lifting

Past Progressive

First person:	I was lifting	we were lifting
Second person:	you were lifting	you were lifting
Third person:	he, she, it was lifting	they were lifting

Future Progressive

First person:	I will be lifting	we will be lifting
Second person:	you will be lifting	you will be lifting
Third person:	he, she, it will be lifting	they will be lifting

Present Perfect Progressive

First person:	I have been lifting	we have been lifting
Second person:	you have been lifting	you have been lifting
Third person:	he, she, it has been lifting	they have been lifting

Past Perfect Progressive

First person:	I had been lifting	we had been lifting
Second person:	you had been lifting	you had been lifting
Third person:	he, she, it had been lifting	they had been lifting

Future Perfect Progressive

First person:	I will have been lifting	we will have been lifting
Second person:	you will have been lifting	you will have been lifting
Third person:	he, she, it will have been lifting	they will have been lifting

7.5 Emphatic Verb Tense

The **emphatic tenses** of a **verb** are used to add **emphasis**.   In addition, the **emphatic tense** can be used with the word **not** in **negative sentences** and to **form questions**.

The **emphatic forms** are used in only **two tenses**, the **present tense** and the **past tense**.

Present Emphatic Tense

The **present emphatic tense** is formed by adding the **first principle part** (**present tense**) of the **main verb** to the helping verb **do** or **does**.

Emphasis: They **do** **leave** early.

Alan **does** **swim** daily.

I **do** **wash** the dishes every night.

Marla **does** **follow** the instructions.

Negative Sentences: They **do** *not* **leave** early.

Alan **does** *not* **swim** daily.

I **do** *not* **wash** the dishes every night.

Marla **does** *not* **follow** the instructions.

Questions: <u>Do</u> they **leave** early?

<u>Does</u> Alan **swim** daily?

<u>Do</u> you **wash** the dishes every night?

<u>Does</u> Marla **follow** the instructions?

Past Emphatic Tense

The **past emphatic tense** is formed by adding the **first principle part (present tense)** of the **main verb** to the helping verb **did**.

Emphasis: They <u>did</u> **leave** early.

Alan <u>did</u> **swim** daily.

I <u>did</u> **wash** the dishes every night.

Marla <u>did</u> **follow** the instructions.

Negative Sentences: They <u>did</u> *not* **leave** early.

Alan <u>did</u> *not* **swim** daily.

I <u>did</u> *not* **wash** the dishes every night.

Marla <u>did</u> *not* **follow** the instructions.

Questions: <u>Did</u> they **leave** early?

<u>Did</u> Alan **swim** daily?

<u>Did</u> you **wash** the dishes every night?

<u>Did</u> Marla **follow** the instructions?

The emphatic forms of the verb *walk*:

	Singular	*Plural*
Present Emphatic		
First person:	I do walk	we do walk
Second person:	you do walk	you do walk
Third person:	he, she, it does walk	they do walk
Past Emphatic		
First person:	I did walk	we did walk
Second person:	you did walk	you did walk
Third person:	he, she, it did walk	they did walk

7.6 Subject - Verb Agreement

The **subject** and **verb** of a sentence must **agree** in **number**. Use the **singular** form of a **verb** with a **singular subject**, and use the **plural** form of a **verb** with a **plural subject**.

Add an **-s** or **-es** to the **present tense** of a **verb** if the **subject noun** of the sentence is **singular** or if the **subject pronoun** is **he**, **she**, or **it**. Be sure to change the **spelling** when necessary after adding **-s** or **-es**.

<u>It</u> **jump<u>s</u>** high!
↑   ↑
Singular   Add
Subject   -s

<u>She</u> **teach<u>es</u>** piano lessons.
↑   ↑
Singular   Add
Subject   -es

<u>John</u> **worr<u>ies</u>** about the weather.
↑   ↑
Singular   Change
Subject   Spelling
               and Add
               -es

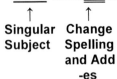

Do **not** add an **-s** or **-es** to the **verb** if the **subject noun** of the sentence is **plural** or if the **subject pronoun** is **I** or **you**.

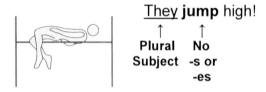

They **jump** high!
  ↑   ↑
Plural **No**
Subject **-s or -es**

The children **study** art at home.
  ↑   ↑
Plural **No**
Subject **-s or -es**

You **teach** piano lessons.
  ↑   ↑
Pronoun **No**
You **-s or -es**

I **worry** about the weather.
  ↑   ↑
Pronoun No
I **-s or -es**

The forms of the verbs **be**, **have**, and **do** have special **singular** and **plural** forms that are easily confused.

Use **is**, **was**, **has**, or **does** if the **subject** is **singular**.

Maria <u>is</u> a good singer.

He <u>was</u> late for work.

Hilary <u>has</u> a cute dog.

Jordan <u>does</u> the laundry.

Use **are**, **were**, **have**, or **do** if the **subject** is **plural**.

My **<u>brothers</u> <u>are</u>** always happy.

<u>They</u> <u>were</u> hungry for pizza.

<u>They</u> <u>have</u> a new house.

<u>We</u> <u>do</u> the dishes after breakfast.

7.7 Agreement with a Compound Subject

When the parts of a **compound subject** are joined by **and**, the **compound subject** requires a **plural verb**.

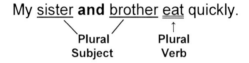

My <u>sister</u> **and** <u>brother</u> <u>eat</u> quickly.

Plural Subject   Plural Verb

The **singular** nouns **sister** and **brother** are joined by **and** which makes the compound subject **plural**. This requires the **plural** verb **eat**.

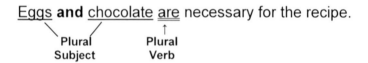

<u>Eggs</u> **and** <u>chocolate</u> <u>are</u> necessary for the recipe.

Plural Subject   Plural Verb

The **plural** noun **eggs** and the **singular** noun **chocolate** are joined by **and** which makes the compound subject **plural**. This requires the **plural** verb **are**.

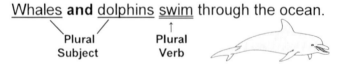

<u>Whales</u> **and** <u>dolphins</u> <u>swim</u> through the ocean.

Plural Subject   Plural Verb

The **plural** nouns **whales** and **dolphins** are joined by **and** which makes the compound subject **plural**. This requires the **plural** verb **swim**.

When the parts of a **compound subject** are joined by **or**, **either…or**, or **neither…nor**, the **verb** must **agree** with the **subject nearer** to the **verb**.

<u>Juanita</u> **or** <u>Kendra</u> <u>bake</u> cookies for the sale.
             ↑   ↑
      Singular   Singular
      Subject   Verb

The **singular** subject **Kendra** is **nearer** to the **verb**. It requires the **singular** verb **bake**.

Either our <u>cat</u> **or** our <u>dogs</u> <u>chew</u> on the rug.
                    ↑   ↑
            Plural   Plural
            Subject   Verb

The **plural** subject **dogs** is **nearer** to the **verb**. It requires the **plural** verb **chew**.

Neither <u>John</u> **nor** <u>Elizabeth</u> <u>washes</u> the dishes.
                   ↑   ↑
           Singular   Singular
           Subject   Verb

The **singular** subject **Elizabeth** is **nearer** to the **verb**. It requires the **singular** verb **washes**.

7.8 Agreement with Inverted Sentences

An **inverted sentence** is one where the **subject** follows the **verb**. Even though the **subject** follows the **verb**, make sure that the **verb agrees** with the **subject** in an **inverted sentence**. **Inverted word** order can make it **difficult** to find the true **subject**.

Inverted
Sentence: In the grass <u>lurks</u> a green <u>snake</u>.

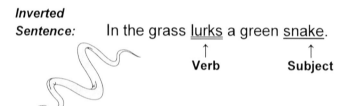

In both sentences, the **subject** is **snake** and the **verb** is **lurks**. In the **inverted sentence**, however, the verb **lurks** precedes the subject **snake**. The **singular** subject **snake** agrees with the **singular** verb **lurks** in both sentences.

Because an **inverted sentence** often **begins** with a
prepositional phrase, the **object of the preposition**
is easily **mistaken** for the **subject**. Just remember that
the **subject** follows the **verb** in an **inverted sentence**.

Down the long path <u>run</u> *the startled* <u>horses</u>.

| ↑ | ↑ | ↑ |
| **Prepositional Phrase** | **Verb** | **Subject** |

In this example, the sentence begins with the
prepositional phrase **down the long path**. Do **not**
mistake the **object** of the preposition **path** for the
subject. The **subject** of a **sentence** is **never** found in
a **prepositional phrase**. The **plural** noun **horses** is
the **subject** of this sentence and requires the **plural**
verb **run**.

More examples:

Around the corners <u>speeds</u> *the fast* <u>car</u>.

*(The **object** of the preposition **corners** is **not** the subject. The
singular subject **car** requires the **singular** verb **speeds**.)*

From the bowl <u>eat</u> *three* <u>puppies</u>.

*(The **object** of the preposition **bowl** is **not** the subject. The **plural**
subject **puppies** requires the **plural** verb **eat**.)*

Into the tree <u>flies</u> *the mother* <u>bird</u>.

*(The **object** of the preposition **tree** is **not** the subject. The
singular subject **bird** requires the **singular** verb **flies**.)*

7.9 Here and There

The words **here** and **there** often begin **inverted sentences**, but they are almost **never** the **subject** of the sentence.

Remember that the **subject** follows the **verb** in an **inverted sentence**.

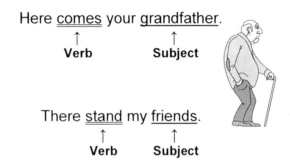

Here <u>comes</u> your <u>grandfather</u>.
    ↑   ↑
  Verb   **Subject**

There <u>stand</u> my <u>friends</u>.
    ↑   ↑
  Verb   **Subject**

In the first example, the **subject** of the sentence is the **singular** noun **grandfather**, which agrees with the **singular** verb **comes**. In the second example, the **subject** of the sentence is the **plural** noun **friends**, which agrees with the **plural** verb **stand**.

Here and **there** are **not** the subjects of these sentences.

More examples:

There <u>is</u> our hungry <u>cat</u>.

*(The **singular** subject **cat** requires the **singular** verb **is**.)*

There <u>go</u> the <u>winners</u> of the race.

*(The **plural** subject **winners** requires the **plural** verb **go**.)*

Here <u>comes</u> my <u>brother</u>.

*(The **singular** subject **brother** requires the **singular** verb **comes**.)*

Here <u>are</u> some <u>examples</u>.

*(The **plural** subject **examples** requires the **plural** verb **are**.)*

7.10 Phrases and Clauses Between a Subject and Verb

A **prepositional phrase** sometimes lies **between** a **subject** and a **verb**. This should **not**, however, affect the **agreement** between the **subject** and **verb**. Make sure the **verb** agrees with the **subject** and **not** the **object** of the **preposition**.

The <u>shingles</u> *on the house* <u>are</u> cracked.

In this example, the **plural** verb **are** agrees with the **plural** subject **shingles** and **not** the **object** of the preposition **house**.

More examples:

Two <u>copies</u> *of his book* <u>were</u> on the shelf.

*(The **plural** verb **were** agrees with the **plural** subject **copies** and **not** the **object** of the preposition **book**.)*

The <u>boy</u> *near the trees* <u>is</u> my brother.

*(The **singular** verb **is** agrees with the **singular** subject **boy** and **not** the **object** of the preposition **trees**.)*

The <u>girls</u> *in the black car* <u>hurry</u> to the game.

*(The **plural** verb **hurry** agrees with the **plural** subject **girls** and **not** the **object** of the preposition **car**.)*

A **subject** and its **verb** can also be separated by a **clause**. (We will discuss **clauses** more in Chapter 8). Like a **prepositional phrase**, a **clause** should **not** affect the **agreement** between the **subject** and **verb**. Make sure the **verb** agrees with the **subject** and **not** a **noun** in the **clause**.

The <u>boys</u> *who broke the chair* <u>dance</u> well.

In this example, the **plural** verb **dance** agrees with the **plural** subject **boys** and **not** the noun **chair** in the **clause**.

More examples:

The <u>trees</u> *that were planted by the student* <u>grow</u> fast.
*(The **plural** verb **grow** agrees with the **plural** subject **trees** and **not** the noun **student** in the **clause**.)*

The <u>girl</u> *who loves animals* <u>feeds</u> the squirrels.
*(The **singular** verb **feeds** agrees with the **singular** subject **girl** and **not** the noun **animals** in the **clause**.)*

A <u>dog</u> *that has black ears* <u>chases</u> me.
*(The **singular** verb **chases** agrees with the **singular** subject **dog** and **not** the noun **ears** in the **clause**.)*

7.11 Indefinite Pronoun Agreement

As we learned in Lesson 2.9, an **indefinite pronoun** refers to one or more **unspecified** people, places, or things.

Use the **singular indefinite pronouns** such as **anybody**, **anyone**, **no one**, **each**, **either**, **everybody**, **everyone**, **neither**, **nobody**, **one**, **someone**, and **somebody** with a **singular verb**.

Nobody is in my chair.

Someone calls every day.

In the first example, the **indefinite** pronoun **nobody** is **singular**, which requires the **singular** verb **is**. In the second example, the **indefinite** pronoun **someone** is **singular**, which requires the **singular** verb **calls**.

More examples:

Each does the dishes.

*(The **indefinite** pronoun **each** is **singular**, which requires the singular verb **does**.)*

Everyone uses the front door.

*(The **indefinite** pronoun **everyone** is **singular**, which requires the singular verb **uses**.)*

Use the **plural indefinite pronouns** such as **both,
few**, **many**, and **several** with **plural verbs**.

<u>Few</u> <u>are</u> hungry.

<u>Many</u> <u>teach</u> math to children.

In the first example, the **indefinite** pronoun **few** is
plural, which requires the **plural** verb **are**. In the
second example, the **indefinite** pronoun **many** is
plural, which requires the **plural** verb **teach**.

More examples:

<u>Both</u> <u>do</u> the laundry.

*(The **indefinite** pronoun **both** is **plural**, which requires the **plural**
verb **do**.)*

<u>Several</u> <u>drive</u> new cars.

*(The **indefinite** pronoun **several** is **plural**, which requires the
plural verb **drive**.)*

7.12 Troublesome Verb Pairs

The verb pairs **lay/lie**, **sit/set**, and **raise/rise** are often confused.

The verb **lay** means to **put** or **place something**. **Lay** is **followed** by a **direct object**.

Lay that <u>blanket</u> on the bed.

In this example, the verb **lay** means **to put** or **place** the direct object **blanket**.

More examples:

Present: **Lay** your keys on the counter.

*Present
Participle:*   They *are* **laying** the carpet tomorrow.

Past: Johnny **laid** his hat on the table.

*Past
Participle:*   The chickens *have* **laid** many eggs.

Principle Parts of Lay

Present	Present Participle (needs helping verb)	Past	Past Participle (needs helping verb)
lay	*(am, is or are)* laying	laid	*(have, has, or had)* laid

The verb **lie** means **to rest** or **recline**. **Lie** is **not** followed by a **direct object**. The words that follow **lie** tell **where**.

 Lie down on the couch.

In this example, the verb **lie** means **to rest** or **recline**. There is **no** direct object. The words after **lie** tell **where**.

More examples:

Present: I need to **lie** on the floor.

Present Participle: The dog *is* **lying** on the rug.

Past: Last night I **lay** awake in bed.

Past Participle: The cows *have* **lain** in the field all day.

Principle Parts of Lie

Present	Present Participle (needs helping verb)	Past	Past Participle (needs helping verb)
lie	*(am, is, or are)* lying	lay	*(have, has, or had)* lain

The verb **set** means **to put or place something**. **Set** is **followed** by a **direct object**.

He **set** the <u>food</u> on the counter.

In this example, the verb **set** means **to put** or **place** the direct object **food**.

More examples:

Present: **Set** the suitcase on the ground.

Present Participle: I *am* **setting** the laundry down.

Past: Percy **set** the lamp gently on the table.

Past Participle: *Have* you **set** the alarm clock?

Principle Parts of Set

Present	Present Participle (needs helping verb)	Past	Past Participle (needs helping verb)
set	*(am, is, or are)* setting	set	*(have, has, or had)* set

The verb **sit** means **to be seated**. **Sit** is **not** followed by a **direct object**. The words that follow **sit** tell **where**.

Please **sit** down.

In this example, the verb **sit** means **to be seated**. There is **no** direct object. The words after **sit** tell **where**.

More examples:

Present: **Sit** near the window.

Present
Participle: *Are* you **sitting** here?

Past: Mom **sat** down on a beach towel.

Past
Participle: How long *has* he **sat** there?

Principle Parts of Sit

Present	Present Participle (needs helping verb)	Past	Past Participle (needs helping verb)
sit	*(am, is, or are)* sitting	sat	*(have, has, or had)* sat

The verb **raise** means **to lift something, to increase something**, or **to grow with help**. **Raise** is **followed** by a **direct object**.

Raise your <u>hand</u> if you have a question.

In this example, the verb **raise** means **to lift** the direct object **hand**.

More examples:

Present:　　　　**Raise** the blinds in the living room.

Present Participle:　　　I *am* **raising** tomatoes in our garden.

Past:　　　　　She **raised** her hand to wave at me.

Past Participle:　　　The store *has* **raised** prices.

Principle Parts of Raise

<u>Present</u>	<u>Present Participle</u> (needs helping verb)	<u>Past</u>	<u>Past Participle</u> (needs helping verb)
raise	*(am, is, or are)* raising	raised	*(have, has, or had)* raised

The verb **rise** means **to go up** or **to get up**. **Rise** is **not** followed by a **direct object**.

The boys **rise** early on the weekends.

In this example, the verb **rise** means **to get up**. There is **no** direct object.

More examples:

Present:	We watch the sun **rise** every day.
Present Participle:	The bread *is* **rising** in the oven.
Past:	The balloon **rose** into the air.
Past Participle:	Warm air *has* **risen** to the ceiling.

Principle Parts of Rise

Present	Present Participle (needs helping verb)	Past	Past Participle (needs helping verb)
rise	*(am, is, or are)* rising	rose	*(have, has, or had)* risen

---

Chapter 7 Review - Part 1

Principle Parts of Regular Verbs: A **verb** has four **principle parts** to express different **tenses** (**time**). The **principle parts** of a **verb** are the **present**, **present participle**, **past**, and **past participle**. For **action** that is occurring **now**, use either the **present** form alone or the **present participle** with a **helping verb**.   Form the **present participle** by adding **-ing** to the **present** form along with a **helping verb** such as **am**, **is**, or **are**. For **action** that has **already** occurred, use either the **past** form alone or the **past participle** with a **helping verb**. Form the **past** and **past participle** by adding **-ed** to the **present** form. The **past participle** requires a **helping verb** such as **has** or **have**.

Often there are **spelling** changes needed when forming the **principle parts** of certain **verbs**.

Principle Parts of Irregular Verbs: Like regular verbs, **irregular verbs** also have **four principle parts**, which are **present**, **present participle**, **past**, and **past participle**. However, the **past tense** and **past participle** of **irregular verbs** are **not** formed by adding **-d** or **-ed** as with regular verbs. Instead, these **principle parts** are formed in **other ways**. Many

irregular verbs have the same **past** and **past participle**. Some **irregular verbs** have the same **present**, **past**, and **past participle**. Some **irregular verbs** change in **different** ways.

The Six Tenses of a Verb: There are **six tenses** for every **verb**. There are **three simple tenses** and **three perfect tenses**. The three **simple tenses** are **present**, **past**, and **future**.

-**Present tense** verbs express **action** that is happening **now**. The **first principle part (present)** of a **verb** shows **present tense**. Add **-s** to a **singular subject** or the pronoun **he**, **she**, or **it** to show **present tense**.

-**Past tense** verbs express **action** that took place in the **past**. The **action** has already **occurred**. The **third principle part (past)** of a **verb** shows **past tense**.

-**Future tense** verbs express **action** that will happen in the **future**. The **first principle part (present)** of a **verb** with the **helping** verb **will** or **shall** shows **future tense**. **Shall** and **will** are used with the pronouns **I** and **we**. With **all** other **nouns** and **pronouns** only use **will**.

-The **perfect tense** of a **verb** shows the **completion** of **action**. The three **perfect tenses** are **present perfect**, **past perfect**, and **future perfect**. Use the past participle of a **verb** with a form of the helping verb **have** to show **perfect tense**.

-Use the **present perfect tense** to express **action** or a **condition** that **started in the past** and **has finished** or **action** that **started in the past** and is **still continuing**. Use the helping verb **have** or **has** and the **past participle** of the **main verb** to form the **present perfect tense**.

-Use the **past perfect tense** to express an **action** or a **condition** that occurred **before another action** or **time** in the **past**. Use the helping verb **had** and the **past participle** of the **main verb** to form the **past perfect tense**.

-Use the **future perfect tense** to express an **action** or **condition** that will occur **before another action** or **time** in the **future**.   Use the verb phrase **will have** and the **past participle** of the **main verb** to form the **future perfect tense**.

<u>Progressive Verb Forms</u>: The **progressive form** of a verb shows **continuing action**. A form of the verb **be** combined with the **present participle** forms the **progressive**. The **six progressive tenses** correspond to the **three simple tenses** (present, past, and future)

and **three perfect tenses** (present perfect, past perfect, and future perfect).

-**Present progressive** shows a **present action** is **continuing**.

-**Past progressive** shows that a **continuous action** that occurred over a span of time in the **past**.

-**Future progressive** shows **action** that will continue some time in the **future**.

-**Present perfect progressive** shows a **continuous action** that **started** in the **past** and **continues** into the **present**.

-**Past perfect progressive** shows a **continuous action** that was **completed** at some point in the **past**.

-**Future perfect progressive** shows a **continuous action** that will be **completed** at some point in the **future**.

Emphatic Verb Tense: The **emphatic tenses** of a **verb** are used to add **emphasis**.   Also, the **emphatic tense** can be used with the word **not** in **negative sentences** and to **form questions**. The **emphatic forms** are used in only **two tenses**, the **present tense** and the **past tense**.

-The **present emphatic tense** is formed by adding the **first principle part** (**present tense**) of the **main verb** to the helping verb **do** or **does**.

-The **past emphatic tense** is formed by adding the **first principle part** (**present tense**) of the **main verb** to the helping verb **did**.

<u>**Subject - Verb Agreement**</u>: The **subject** and **verb** of a sentence must **agree** in **number**. Use the **singular** form of a **verb** with a **singular subject**, and use the **plural** form of a **verb** with a **plural subject**. Do **not** add an **-s** or **-es** to the **verb** if the **subject noun** of the sentence is **plural** or if the **subject pronoun** is **I** or **you**. Add an **-s** or **-es** to the **present tense** of a **verb** if the **subject noun** of the sentence is **singular** or if the **subject pronoun** is **he**, **she**, or **it**. Be sure to change the **spelling** when necessary after adding **-s** or **-es**.

Chapter 7 Review - Part 2

Agreement with a Compound Subject: When the parts of a **compound subject** are joined by **and**, the **compound subject** requires a **plural verb**. When the parts of a **compound subject** are joined by **or**, **either…or**, or **neither…nor**, the **verb** must **agree** with the **subject nearer** to the **verb**.

Agreement with Inverted Sentences: An **inverted sentence** is one where the **subject** follows the **verb**. Even though the **subject** follows the **verb**, make sure that the **verb agrees** with the **subject** in an **inverted sentence**. **Inverted word** order can make it **difficult** to find the true **subject**. Reword an **inverted sentence** into natural word order to make it easier to find the **subject**. Because an **inverted sentence** often **begins** with a **prepositional phrase**, the **object of the preposition** is easily **mistaken** for the **subject**. Just remember that the **subject** follows the **verb** in an **inverted sentence**.

Here and There: The words **here** and **there** often begin **inverted sentences**, but they are almost **never** the **subject** of the sentence. Remember that the **subject** follows the **verb** in an **inverted sentence**.

Phrases and Clauses Between a Subject and Verb:
A **prepositional phrase** sometimes lies **between** a
subject and a **verb**. This should **not** affect the
agreement between the **subject** and **verb**, however.
Make sure the **verb** agrees with the **subject** and **not**
the **object** of the **preposition**.

   A **subject** and its **verb** can also be separated by a
clause. Like a **prepositional phrase**, a **clause** should
not affect the **agreement** between the **subject** and
verb. Make sure the **verb** agrees with the **subject** and
not a **noun** in the **clause**.

Indefinite Pronoun Agreement: An **indefinite**
pronoun refers to one or more **unspecified** people,
places, or things. Use the **singular indefinite**
pronouns such as **anybody**, **anyone**, **no one**, **each**,
either, **everybody**, **everyone**, **neither**, **nobody**, **one**,
someone, and **somebody** with a **singular verb**. Use
the **plural indefinite pronouns** such as **both**, **few**,
many, and **several** with **plural verbs**.

Troublesome Verb Pairs: The verb pairs **lay/lie**,
sit/set, and **raise/rise** are often confused. The verb
lay means **to put** or **place something**. **Lay** is followed
by a **direct object**. The verb **lie** means **to rest** or

recline. **Lie** is **not** followed by a **direct object**. The words that follow **lie** tell **where**.

The verb **set** means **to put or place something**. **Set** is followed by a **direct object**. The verb **sit** means **to be seated**. **Sit** is **not** followed by a **direct object**. The words that follow **sit** tell **where**.

The verb **raise** means **to lift something, to increase something**, or **to grow with help**. **Raise** is **followed** by a **direct object**. The verb **rise** means **to go up** or **to get up**. **Rise** is **not** followed by a **direct object**.

Chapter 8

Sentence Structure

8.1 Clauses

A **clause** is a group of words that contains both a **subject** and a **verb**. There are **independent clauses** and **dependent clauses**.

An **independent clause (main clause)** is a **complete sentence** because it contains a **subject** and a **verb**, and it **expresses** a **complete thought**.

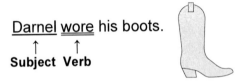

Darnel wore his boots.
     ↑   ↑
   Subject Verb

In this example, the **independent clause** contains both a **subject** and a **verb**. It also **expresses** a **complete thought**.

More examples:

The man had no money.

(This **independent** clause contains the subject **man** and the verb **had**. It **does** express a **complete thought**.)

Crystal read the book.

(This **independent** clause contains the subject **Crystal** and the verb **read**. It **does** express a **complete thought**.)

A **dependent clause (subordinate clause)**, however, cannot stand alone because it does **not** express a **complete thought**, even though it has a **subject** and a **verb**.

Either a **relative pronoun** or a **subordinating conjunction** introduces a **dependent clause**.

Relative Pronouns

Words such as **who**, **whom**, **whose**, **which**, or **that** are **relative pronouns**.

that I found yesterday
      ↑   ↑
Subject Verb

In this example, the **dependent clause** contains both a **subject** and a **verb**, but it does **not** express a **complete thought**. The relative pronoun **that** introduces the **dependent clause**.

Subordinating Conjunctions

Words such as **after, although, as, because, before, if, since, unless, than, until, when, where,** or **while** are **subordinating conjunctions**.

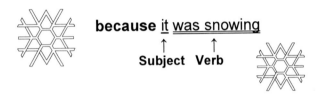

because it <u>was snowing</u>
      ↑   ↑
   Subject   Verb

In this example, the **dependent clause** contains both a **subject** and a **verb**, but it does **not** express a **complete thought**. The **dependent clause** begins with the subordinating conjunction **because**.

Independent and **dependent clauses** can be used in a variety of ways to form the four basic types of sentences: **simple, compound, complex,** and **compound-complex**.

8.2 Simple and Compound Sentences

A sentence that has **one independent clause** is a **simple sentence**. The **independent clause** has **at least one subject** and **at least one verb**, but it can also have a **compound subject** and/or a **compound verb**.

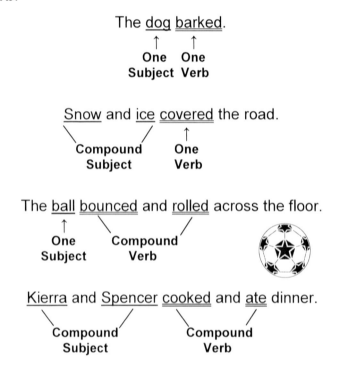

These are all examples of **simple sentences**. Even though some of these sentences contain a **compound subject** and/or a **compound predicate**, they are still **simple sentences**.

A sentence that consists of **two or more related independent clauses** is a **compound sentence**. The **clauses** of a **compound sentence** may be joined by both a **comma** and a **coordinating conjunction** (such as **and**, **or**, **nor**, **but**, or **yet**) or by a **semicolon** (;) (see Lesson 1.6).

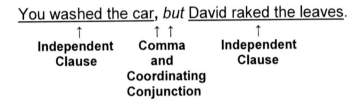

In these examples, a **comma** and a **coordinating conjunction** join two related **independent clauses**. These are **compound sentences**.

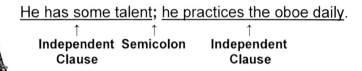

He has some talent; he practices the oboe daily.

    ↑   ↑   ↑

Independent Semicolon   Independent
Clause   Clause

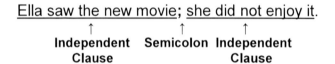

Ella saw the new movie; she did not enjoy it.

    ↑   ↑   ↑

Independent   Semicolon Independent
Clause   Clause

In these examples, a **semicolon** joins two related **independent clauses**. These are **compound sentences**.

A **compound sentence** does **not** include any **dependent (subordinate) clauses**.

8.3 Conjunctive Adverbs

A **conjunctive adverb** is an **adverb** that can connect **independent clauses** to form a **compound sentence**.

When joining two **independent clauses** with a **conjunctive adverb**, place a **semicolon** before the **conjunctive adverb** and a **comma** after it.

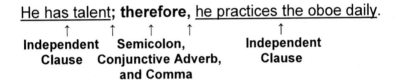

In this example, the conjunctive adverb **therefore** connects two **independent clauses**. A **semicolon** precedes the **conjunctive adverb** and a **comma** follows it.

More examples:

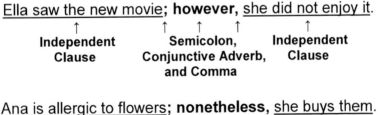

Some of the most common **conjunctive adverbs** are listed below.

accordingly	however	nonetheless
also	indeed	otherwise
besides	instead	still
consequently	likewise	subsequently
finally	meanwhile	then
furthermore	moreover	therefore
hence	nevertheless	thus

Conjunctive adverbs may move around in the **clause** in which they appear. A **conjunctive adverb** that appears at the end of a clause is **preceded** by a **comma** and **followed** by a **period**.

Ella saw the new movie; she did not enjoy it, **however**.

Ana is allergic to flowers; she buys them, **nonetheless**.

A **conjunctive adverb** can be used to **interrupt** a clause. **No semicolon** is necessary in this instance. **Commas** both **precede** and **follow** it.

Either movie, **however,** is fine with me.

The family, **meanwhile,** had a garage sale.

In these examples, the conjunctive adverbs **however** and **meanwhile** are each used to **interrupt** one clause.

Some words in the **conjunctive adverb** list can also be used as **simple adverbs. No semicolon** is necessary when they are used this way. Just remember, when they are used to join **independent clauses** they are **conjunctive adverbs**.

Simple
Adverb: He was **finally** able to eat lunch.

Conjunctive
Adverb: His car broke; **finally,** he called a mechanic.

8.4 Diagramming Compound Sentences

Each **independent clause** of a compound sentence is diagrammed as a separate **sentence**, one above the other. Next, join both **clauses** with a **dotted line**. If a **conjunction** joins the **clauses**, place it on the dotted line.

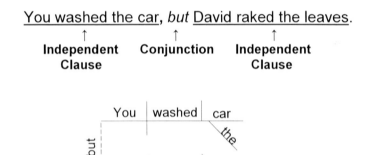

You washed the car, *but* David raked the leaves.

↑	↑	↑
Independent	**Conjunction**	**Independent**
Clause		**Clause**

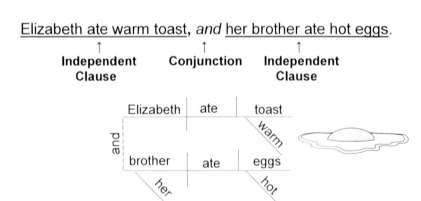

Elizabeth ate warm toast, *and* her brother ate hot eggs.

↑	↑	↑
Independent	**Conjunction**	**Independent**
Clause		**Clause**

If a **semicolon** joins the **clauses** of a **compound sentence**, then **nothing** is placed on the dotted line.

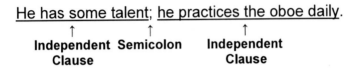

He has some talent; he practices the oboe daily.
↑   ↑   ↑
Independent **Semicolon** **Independent**
Clause   **Clause**

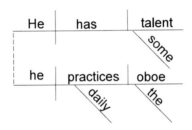

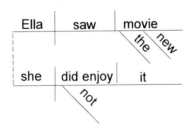

Ella saw the new movie; she did not enjoy it.
↑   ↑   ↑
Independent **Semicolon** **Independent**
Clause   **Clause**

If a **semicolon** and a **conjunctive adverb** join the clauses of a **compound sentence**, then nothing is placed on the dotted line. The **conjunctive adverb** is diagrammed in the **adverb** position on the second clause.

Ana is allergic to flowers; **nonetheless,** she buys them.

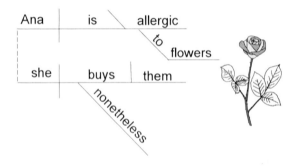

His car broke; **finally,** he called a mechanic.

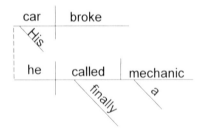

8.5 Complex Sentences

A **complex sentence** contains one **independent clause (main clause)** and at least one **dependent clause (subordinate clause)** which is introduced by a **relative pronoun** or a **subordinating conjunction** (see Lesson 8.1).

The **dependent clause** may function as an **adjective (adjective clause)**, an **adverb (adverb clause)**, or a **noun (noun clause)** modifying the **independent clause**.

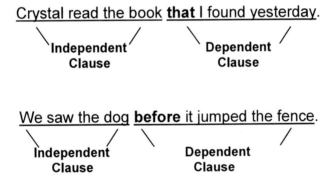

In the first example, the **independent** and **dependent clauses** are **joined** by the relative pronoun **that**. In the second example, the **independent** and **dependent clauses** are **joined** by the subordinating conjunction **before**.

A **dependent clause** can occur at the **beginning**, the **middle**, or the **end** of a **sentence**.

Use a **comma after** most **dependent clauses** that **begin** a sentence.

<u>**After** the party was over</u>, the boys went home.

<u>**If** I have time</u>, I will bake brownies.

Use **commas** to **set off** most **dependent clauses** that occur in the **middle** of a **sentence**.

My uncle, <u>**who** lost his wallet</u>, had no money.

Chicago, <u>**which** is a large city</u>, is near Lake Michigan.

Use **no comma** for most **dependent clauses** that **end** a **sentence**.

Darnell wore his boots <u>**because** it was snowing</u>.

Britney is the girl <u>**who** is wearing the black hat</u>.

8.6 Adjective Clauses

An **adjective clause** is a **dependent clause** used to describe a **noun**.

A **relative pronoun** is used to introduce an **adjective clause**. It is called a **relative pronoun** because it **relates** a **dependent clause** to the rest of the sentence. Words such as **who**, **whom**, **whose**, **which**, or **that** are **relative pronouns**.

Crystal read the <u>book</u> **that** <u>she found</u>.

In this example, the adjective clause **that she found** modifies the noun **book** by telling **which book** Crystal read. It is a **dependent clause** because it has a **subject (she)** and a **verb (found)**, but it **cannot** stand on its own. It is an **adjective clause** because it **modifies** a **noun** and is introduced by the relative pronoun **that**.

More examples:

We admire the <u>man</u> **who** <u>coaches our team</u>.
(The adjective clause who coaches our team modifies the noun man. The relative pronoun who is the subject of the adjective clause.)

Are you the <u>girl</u> **whom** <u>I met at the zoo</u>?
(The adjective clause whom I met at the zoo modifies the noun girl. The relative pronoun whom is the direct object of the adjective clause.)

Adjective clauses can be **restrictive** or **nonrestrictive**.

A **restrictive (essential) adjective clause** gives **essential** information about the **noun**. A **restrictive adjective clause** is **necessary** to make the meaning of the sentence clear.

The <u>town</u> **that** I visited last year is very small.

The adjective clause **that I visited last year** is a **restrictive clause**. We need this information in order to understand the meaning of the sentence.

The town is very small.

Without the **adjective clause**, we do not know **which** town. The meaning of the sentence is **not** clear. The **adjective clause** is **essential** to the meaning of the sentence.

More examples:

The <u>man</u> **who** built the house is late.
*(The adjective clause **who built the house** is essential to the meaning of this sentence. It tells us which **man** is **late**.)*

The <u>family</u> **that** has five dogs lives here.
*(The adjective clause **that has five dogs** is essential to the meaning of this sentence. It tells us which **family** lives **here**.)*

A **nonrestrictive adjective (nonessential) clause** gives **extra** information about the **noun**, but it is **not essential** to make the meaning of the sentence clear. **Commas** are **required** to set off a **nonrestrictive adjective clause** from the rest of the sentence.

My best <u>friend</u>, **whose** car is new, is a safe driver.

The adjective clause **whose car is new** is a **nonrestrictive clause**. We do not need this information to understand the meaning of the sentence.

My best friend is a safe driver.

This is a good sentence on its own. The adjective clause is not necessary to know which friend. The adjective clause **whose car is new** simply gives **extra information** about **my best friend**. It is **not essential**.

More examples:

Your favorite <u>book</u>, **which** Sara likes, fell on the floor.
*(The adjective clause **which Sara likes** is **not essential** to the meaning of this sentence. The **commas** signify that the **adjective clause** gives **additional information** about the noun **book**.)*

My <u>father</u>, **who** is a sports fan, always watches football.
*(The adjective clause **who is a sports fan** is **not essential** to the meaning of this sentence. The **commas** signify that the **adjective clause** gives **additional information** about the noun **father**.)*

8.7 Diagramming Adjective Clauses

Diagram the **independent clause** (**main clause**) of a **complex sentence** first before diagramming the **adjective clause**.

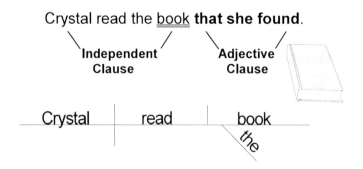

Diagram the **adjective clause** on a horizontal line below the **independent clause**. Use a dotted line to join the **relative pronoun** of the **adjective clause** to the word it modifies in the **independent clause**.

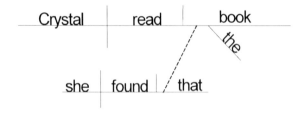

In this example, the relative pronoun **that** is the **direct object** of the **adjective clause**.

The <u>man</u> **who built the house** is late.

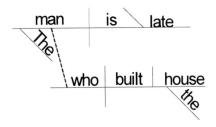

In this example, the relative pronoun **who** is the **subject** of the **adjective clause**.

My best <u>friend</u>, **whose car is new**, is a safe driver.

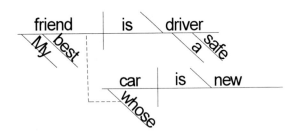

In this example, the relative pronoun **whose** modifies the subject (**car**) of the **adjective clause**.

Are you the <u>girl</u> **whom I met at the zoo**?

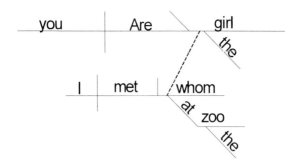

In this example, the relative pronoun **whom** is the **direct object** of the **adjective clause**.

Your favorite <u>book</u>, **which Sara likes**, fell on the floor.

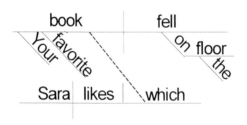

In this example, the relative pronoun **which** is the **direct object** of the **adjective clause**.

8.8 Adverb Clauses

An **adverb clause** is a **dependent clause** used to describe a **verb**. Adverb clauses tell **how, when, where, how often**, or **to what extent** about a **verb**. They can also tell **why, how much, to what degree**, or **how soon**.

A **subordinating conjunction** is used to introduce an **adverb clause**. Words such as **after, although, as, because, before, if, since, unless, than, until, when, where**, or **while** are **subordinating conjunctions**.

Darnell <u>wore</u> his boots **<u>while</u>** <u>it was snowing</u>.

In this example, the adverb clause **while it was snowing** modifies the verb **wore** by telling **when**. It is a **dependent clause** because it has a **subject (it)** and a **verb (was snowing)**, but it **cannot** stand on its own. It is an **adverb clause** because it **modifies** a **verb** and is introduced by the subordinating conjunction **while**.

More examples:

After the party ended, the boys <u>ate</u> dinner.
*(The **adverb** clause **after the party ended** modifies the verb **ate** by telling **when**. The subordinating conjunction **after** introduces the **adverb clause**.)*

I <u>watched</u> the movie **until I was tired**.
*(The **adverb** clause **until I was tired** modifies the verb **watched** by telling **to what extent**. The subordinating conjunction **until** introduces the **adverb clause**.)*

Adverb clauses often **modify** an **adjective** or **another adverb**. These **clauses** act as **adverbs of degree**.

Dave throws the football <u>farther</u> **than** <u>anyone can</u>.

In this example, the adverb clause **than anyone can** modifies the adverb **farther** by telling **how much farther** Dave throws the football.

More examples:

Our dog is <u>bigger</u> **than** <u>your dog is</u>.
*(The **adverb** clause **than your dog is** modifies the adjective **bigger** by telling **how much bigger**.)*

My sister runs <u>faster</u> **than** <u>I do</u>.
*(The **adverb** clause **than I do** modifies the adverb **faster** by telling **how much faster**.)*

Sometimes part of an **adverb clause** is missing. We say that this missing part of the clause is **understood**.

Dave throws the football <u>farther</u> **than** <u>anyone</u>.

The verb is missing in the **adverb clause**.   It is **understood** that the verb is **can**.

More examples:

Our dog is <u>bigger</u> **than** <u>your dog</u>.
*(The verb is **understood** to be **is** in the adverb clause **than your dog**.)*

My sister runs <u>faster</u> **than I**.
*(The verb is **understood** to be **do** in the adverb clause **than I**.)*

An **adverb clause** can occur at the **beginning** or the **end** of a **sentence**. Use a **comma after** most **adverb clauses** that **begin** a sentence.

If I have time, I will bake brownies.

We saw the dog **before it jumped the fence**.

Because we love music, we went to the opera.

8.9 Diagramming Adverb Clauses

Diagram the **independent clause** (**main clause**) of a **complex sentence** first before diagramming the **adverb clause**.

Darnell <u>wore</u> his boots **while it was snowing**.

Diagram the **adverb clause** on a horizontal line below the **independent clause**. Use a dotted line to join the **verb** of the **adverb clause** to the word it modifies in the **independent clause**. Place the **subordinating conjunction** on the dotted line.

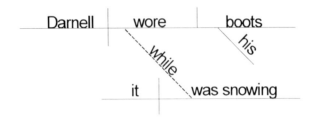

In this example, the **adverb clause** modifies the verb **wore**.

After the party ended, the boys <u>ate</u> dinner.

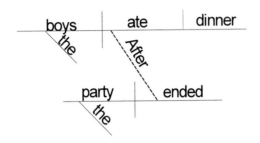

In this example, the **adverb clause** modifies the verb **ate**.

We <u>saw</u> the dog **before** it jumped the fence.

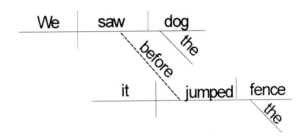

In this example, the **adverb clause** modifies the verb **saw**.

Dave throws the football <u>farther</u> **<u>than anyone can</u>**.

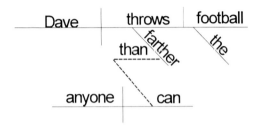

In this example, the **adverb clause** modifies the adverb **farther**.

Our dog is <u>bigger</u> **<u>than your dog is</u>**.

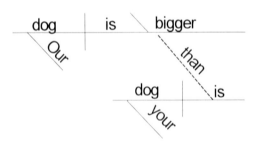

In this example, the **adverb clause** modifies the predicate adjective **bigger**.

8.10 Noun Clauses

A **noun clause** is a **dependent clause** used in a sentence as a **noun** such as a **subject**, **direct object**, **predicate nominative**, or **object of a preposition**.

Words such as **how, if, that, what, whatever, when, whenever, where, wherever, whether, who, whoever, whom, whose,** and **why** are words that introduce a **noun clause**.

Subject

What she said was hilarious.

In this example, the noun clause **what she said** acts as the **subject** of the sentence.

Direct Object

We went **wherever** my father went.

In this example, the noun clause **wherever my father went** acts as the **direct object** of the sentence.

Predicate Nominative

This vacation is **what** we need.

In this example, the noun clause **what we need** acts as the **predicate nominative** of the sentence.

 ## Object of Preposition

The award will go to **whoever** finishes first.

In this example, the noun clause **whoever finishes first** acts as the **object of the preposition** of the sentence.

The words **that**, **whether**, and **if** are merely introductory words. Their **only** function in a sentence with a **noun clause** is to **introduce** the **noun clause**.

In this example, the noun clause **that their team lost** is the **direct object** of the sentence The introductory word **that**, however, has **no grammatical function** in the sentence.

The other **introductory words** in the list at the beginning of this lesson serve a **grammatical function** within the **noun clause**.

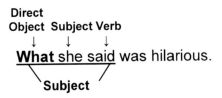

In this example, the noun clause **what she said** is the **subject** of the sentence. The introductory word **what** is the **direct object** of the **noun clause**.

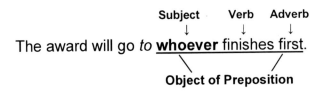

In this example, the noun clause **whoever finishes first** is the **object** of the preposition **to** in this sentence. The introductory word **whoever** is the **subject** of the **noun clause**.

8.11 Compound-Complex Sentences

A **compound-complex sentence** contains **two or more independent clauses** and **one or more dependent clauses (subordinate clauses)**.

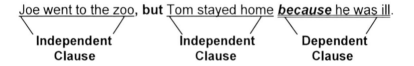

Joe went to the zoo, **but** Tom stayed home ***because*** he was ill.

| Independent | Independent | Dependent |
| Clause | Clause | Clause |

This example is a **compound-complex sentence**. It contains **two independent clauses** and **one dependent clause**.

Remember from Lesson 8.1, **dependent clauses** have **introductory words (relative pronouns and subordinating conjunctions)** that join them to an independent clause.

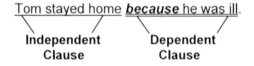

Tom stayed home ***because*** he was ill.

| Independent | Dependent |
| Clause | Clause |

In this example, the **dependent clause** is joined to the **independent clause** with the subordinating conjunction **because**.

Also, remember that **independent clauses** are joined in three ways: a **comma** and a **coordinating conjunction**, a **semicolon**, or a **semicolon** with a **conjunctive adverb** and **comma**.

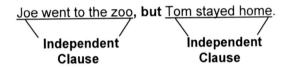

Joe went to the zoo, **but** Tom stayed home.

       Independent   **Independent**
       Clause   **Clause**

In this example, the **independent clauses** are joined by the coordinating conjunction **but** and a **comma**.

More examples (Independent clauses are underlined <u>once</u> and dependent clauses are underlined <u>twice</u>):

When Dad left, he turned off the light, **but** he forgot to lock the door.

*(The **dependent clause** is introduced by the subordinating conjunction **when**. The **independent clauses** are joined by the coordinating conjunction **but** and a **comma**.)*

I told Matt **that** his plan could not work; he did not listen to me.

*(The **dependent clause** is introduced by the relative pronoun **that**. The **independent clauses** are joined by a **semicolon**.)*

After I visited my friend Victoria, I went to Jenny's house; **then** we played a game.

*(The **dependent clause** is introduced by the subordinating conjunction **after**. The **independent clauses** are joined by a semicolon, the conjunctive adverb **then**, and a **semicolon**.)*

Chapter 8 Review - Part 1

Clauses: A clause is a group of words that contains both a subject and a verb. There are **independent clauses** and **dependent clauses**. An **independent clause (main clause)** is a **complete sentence** because it contains a **subject** and a **verb**, and it **expresses** a **complete thought**. A **dependent clause (subordinate clause)**, however, cannot stand alone because it does **not** express a **complete thought**, even though it has a **subject** and a **verb**.

Either a **relative pronoun** or a **subordinating conjunction** introduces a **dependent clause**. Words such as **who, whom, whose, which**, or **that** are **relative pronouns**. Words such as **after, although, as, because, before, if, since, unless, than, until, when, where**, or **while** are **subordinating conjunctions**.

Independent and **dependent clauses** can be used in a variety of ways to form the four basic types of sentences: **simple, compound, complex**, and **compound-complex**.

Simple and Compound Sentences: A sentence that has **one independent clause** is a **simple sentence**. The **independent clause** has **at least one subject**

and **at least one verb**, but it can also have a **compound subject** and/or a **compound verb**. A sentence that consists of **two or more related independent clauses** is a **compound sentence**. The **clauses** of a **compound sentence** may be joined by both a **comma** and a **coordinating conjunction** (such as **and**, **or**, **nor**, **but**, or **yet**) or by a **semicolon** (;). A **compound sentence** does **not** include any **dependent (subordinate) clauses**.

<u>Conjunctive Adverbs</u>: A **conjunctive adverb** is an **adverb** that can connect **independent clauses** to form a **compound sentence**. When joining two **independent clauses** with a **conjunctive adverb**, place a **semicolon** before the **conjunctive adverb** and a **comma** after it. **Conjunctive adverbs** may move around in the **clause** in which they appear. A **conjunctive adverb** that appears at the end of a clause is **preceded** by a **comma** and **followed** by a **period**. A **conjunctive adverb** can be used to **interrupt** a clause. **No semicolon** is necessary in this instance. **Commas** both **precede** and **follow** it. The words in the **conjunctive adverb** list can also be used as **simple adverbs**. **No semicolon** is necessary when they are used this way. Just remember, when they are

used to join **independent clauses** are they **conjunctive adverbs**.

<u>**Diagramming Compound Sentences**</u>: Each **independent clause** of a compound sentence is diagrammed as a separate **sentence**, one above the other. Next, join both **clauses** with a **dotted line**. If a **conjunction** joins the **clauses**, place it on the dotted line.

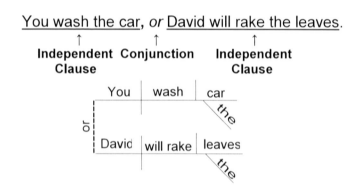

If a **semicolon** joins the **clauses** of a **compound sentence**, then **nothing** is placed on the dotted line.

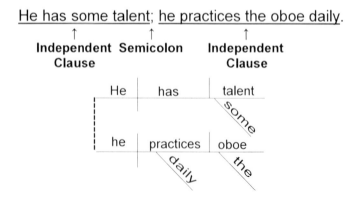

If a **semicolon** and a **conjunctive adverb** join the clauses of a **compound sentence**, then nothing is placed on the dotted line. The **conjunctive adverb** is diagrammed in the **adverb** position on the second clause.

Ana is allergic to flowers; **nonetheless,** she buys them.

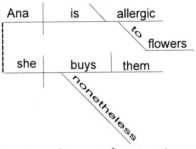

Complex Sentences: A **complex sentence** contains one **independent clause (main clause)** and at least one **dependent clause (subordinate clause)** which is introduced by a **relative pronoun** or a **subordinating conjunction**.

The **dependent clause** may function as an **adjective (adjective clause)**, an **adverb (adverb clause)**, or a **noun (noun clause)** modifying the **independent clause**. A **dependent clause** can occur at the **beginning**, the **middle**, or the **end** of a **sentence**. Use a **comma after** most **dependent clauses** that **begin** a sentence. Use **commas** to **set off** most

dependent clauses that occur in the **middle** of a **sentence**. Use **no comma** for most **dependent clauses** that **end** a **sentence**.

<u>Adjective Clauses</u>: An **adjective clause** is a **dependent clause** used to describe a **noun**. A **relative pronoun** is used to introduce an **adjective clause**. Words such as **who**, **whom**, **whose**, **which**, or **that** are **relative pronouns**. **Adjective clauses** can be **restrictive** or **nonrestrictive**.

A **restrictive (essential) adjective clause** gives **essential** information about the **noun**. A **restrictive adjective clause** is **necessary** to make the meaning of the sentence clear.

A **nonrestrictive adjective (nonessential) clause** gives **extra** information about the **noun**, but it is **not essential** to make the meaning of the sentence clear. **Commas** are **required** to set off a **nonrestrictive adjective clause** from the rest of the sentence.

Chapter 8 Review - Part 2

Diagramming Adjective Clauses: **Diagram** the **independent clause** (**main clause**) of a **complex sentence** first before diagramming the **adjective clause**.

Diagram the **adjective clause** on a horizontal line below the **independent clause**. Use a dotted line to join the **relative pronoun** of the **adjective clause** to the word it modifies in the **independent clause**.

Crystal read the <u>book</u> **that she found.**

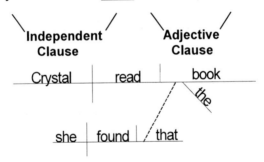

Adverb Clauses: An **adverb clause** is a **dependent clause** used to describe a **verb**. Adverb clauses tell **how, when, where, how often**, and **to what extent** about a **verb**. They can also tell **why, how much, to what degree**, and **how soon**. A **subordinating conjunction** is used to introduce an **adverb clause**. Words such as **after, although, as, because, before,**

if, **since**, **unless**, **than**, **until**, **when**, **where**, or **while** are **subordinating conjunctions**. **Adverb clauses** often **modify** an **adjective** or **another adverb**. These **clauses** act as **adverbs of degree**. Sometimes part of an **adverb clause** is missing. We say that this missing part of the clause is **understood**. An **adverb clause** can occur at the **beginning** or the **end** of a **sentence**. Use a **comma after** most **adverb clauses** that **begin** a sentence.

<u>Diagramming Adverb Clauses</u>: **Diagram** the **independent clause** (**main clause**) of a **complex sentence** first before diagramming the **adverb clause**. Diagram the **adverb clause** on a horizontal line below the **independent clause**. Use a dotted line to join the **verb** of the **adverb clause** to the word it modifies in the **independent clause**. Place the **subordinating conjunction** on the dotted line.

Darnell <u>wore</u> his boots **while** it was snowing.

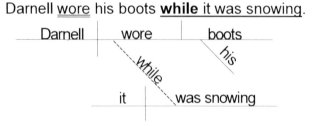

<u>Noun Clauses</u>: A **noun clause** is a **dependent clause** used in a sentence as a **noun** such as a **subject**,

direct object, **predicate nominative**, or **object of a preposition**. Words such as **how**, **if**, **that**, **what**, **whatever**, **when**, **whenever**, **where**, **wherever**, **whether**, **who**, **whoever**, **whom**, **whose**, and **why** are words that introduce a **noun clause**. The words **that**, **whether**, and **if** are merely introductory words. Their **only** function in the sentence is to **introduce** the **noun clause**. The other **introductory words** serve a **grammatical function** within the **noun clause**.

Compound-Complex Sentences: Remember that **independent clauses** are joined in three ways: a **comma** and a **coordinating conjunction**, a **semicolon**, or a **semicolon** and a **conjunctive adverb**. Remember, **dependent clauses** have **introductory words** (**relative pronouns** and **subordinating conjunctions**) that join them to an **independent clause**. A **compound-complex sentence** contains **two or more independent clauses** and **one or more dependent clauses (subordinate clauses)**.

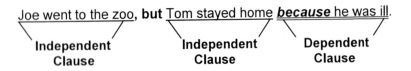

Joe went to the zoo, **but** Tom stayed home *because* he was ill.

Independent   Independent   Dependent
Clause   Clause   Clause

Chapter 9

Verbals and Verbal Phrases

9.1 Participles and Participial Phrases

A **verbal** is a form of a **verb** that is used not as a verb but as another part of speech, such as a **noun**, **adjective**, or **adverb**. The **three** kinds of **verbals** are **participles**, **gerunds**, and **infinitives**.

A **participle** is a **verbal** that functions as an **adjective** in a sentence, modifying a **noun** or **pronoun**.

The **present participle** of a **verb** can act like an **adjective**. **Present participles** end with **-ing**. Place **participles** as close as possible to the **noun** or **pronoun** they modify.

The **burning** *popcorn* filled the kitchen with smoke.

The **cheering** *crowd* was extremely loud.

In the first example, the word **burning** is the **present participle** of the verb **burn**. It acts as an **adjective** by describing the noun **popcorn**. In the second example, the word **cheering** is the **present participle** of the verb **cheer**. It acts as an **adjective** by describing the noun **crowd**.

Past participles can also act like an **adjective** in a sentence. **Past participles** generally end with **-ed**.

The **scared** *horse* ran through the field.

The **cracked** *pipe* flooded our basement.

In the first example, the word **scared** is the **past participle** of the verb **scare**. It acts as an **adjective** by describing the noun **horse**. In the second example, the word **cracked** is the **past participle** of the verb **crack**. It acts as an **adjective** by describing the noun **pipe**.

More examples (present and past participles):

A **howling** *dog* kept us up all night.
*(The **present** participle **howling** describes the noun **dog**.)*

That **swaying** *tree* looks dangerous.
*(The **present** participle **swaying** describes the noun **tree**.)*

The **tired** *man* took a nap.
*(The **past** participle **tired** describes the noun **man**.)*

A **participial phrase** is a group of words consisting of a **present** or **past participle** and its related words (**modifiers** and **objects**). A **participial** phrase acts as an **adjective** in a sentence. Place **participial phrases** as close as possible to the **nouns** or **pronouns** they modify.

The *person* **sitting** near **Brett** is his sister.

The *windshield* **cracked** by **hail** was expensive to fix.

In the first example, the participial phrase **sitting near Brett** describes the noun **person**. **Sitting** is the **participle** in this phrase. In the second example, the participial phrase **cracked by hail** describes the noun **windshield**. **Cracked** is the **participle** in this phrase.

More examples:

The *woman* **teaching** the class is my aunt.
*(The participial phrase **teaching the class** describes the noun **woman**. **Teaching** is the **participle** in this **phrase**.)*

The *dress* **pictured** in the catalog was navy blue.

*(The participial phrase **pictured in the catalog** describes the noun **dress**. **Pictured** is the **participle** in this **phrase**.)*

The *man* **wearing** the black tie is the groom.
*(The participial phrase **wearing the black tie** describes the noun **man**. **Wearing** is the **participle** in this **phrase**.)*

A **participial phrase** is set off with **commas** when it **interrupts** a sentence as a **nonessential element**. Remember, a **nonessential element** merely **adds** extra **information**, but **not** information that identifies or is essential to the meaning of the sentence.

Mom's *lasagna*, **cooked to perfection,** is delicious.

The sentence **Mom's lasagna is delicious** makes sense on its own. The participial phrase **cooked to perfection** adds **extra** information, but it is **not essential** to the meaning of the sentence.

More examples:

Dad, **removing his coat,** walked into the warm house.
*(The participial phrase **removing his coat** is **not** essential to the meaning of the sentence. **Commas** are **necessary** to set off this **nonessential phrase** from the rest of the sentence.)*

Leo, **opening the window**, saw dark clouds in the sky.
*(The participial phrase **opening the window** is **not** essential to the meaning of the sentence. **Commas** are **necessary** to set off this **nonessential phrase** from the rest of the sentence.)*

If the **participial phrase** is **essential** to the meaning of the sentence, **no commas** are necessary.

The person **elected as mayor** will have an exciting job.

In this example, the sentence **the person will have an exciting job** does **not** make sense on its own. Which **person** do we mean? It needs more **information**. The participial phrase **elected as mayor** adds the **essential information** needed for this sentence.

More examples:

The *person* <u>sitting</u> near Brett is his sister.
*(The participial phrase **sitting near Brett** is **essential** to the meaning of the sentence. **No commas** are necessary here.)*

The *dress* <u>pictured</u> in the catalog was navy blue.
*(The participial phrase **pictured in the catalog** is **essential** to the meaning of the sentence. **No commas** are necessary here.)*

A **participial phrase** is set off with **commas** when it is used at the **beginning** of a sentence.

<u>Removing</u> his coat, Dad walked into the warm house.

<u>Opening</u> the window, Leo saw dark clouds in the sky.

9.2 Diagramming Participles and Participial Phrases

Diagram a **participle** directly **beneath** the **noun** or **pronoun** it **modifies**. Write the **participle** partially on a **slanted** line and partially on a **horizontal** line that extends from the slanted line.

The **cheering** *crowd* was extremely loud.

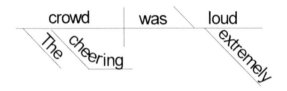

The director helped the **distracted** *actor*.

The **cracked** *pipe* flooded our basement.

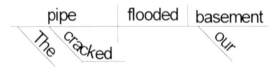

When diagramming a **participial phrase**, extend the
horizontal line to include any **objects** or **modifiers**.

The *person* <u>**sitting** near Brett</u> is his sister.

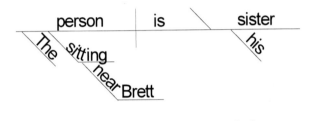

In this example, the participial phrase **sitting near
Brett** modifies the subject **person**. The prepositional
phrase **near Brett** is diagrammed beneath the word it
modifies, which in this case is the participle **sitting**.

We saw the police <u>**racing** to the scene</u>.

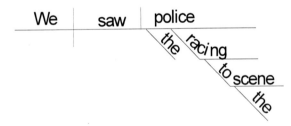

In this example, the participial phrase **racing to the
scene** modifies the direct object **police**. The
prepositional phrase **to the scene** is diagrammed
beneath the word it modifies, which in this case is the
participle **racing**.

Removing his coat, Dad walked into the warm house.

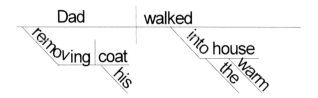

In this example, the participial phrase **removing his coat** modifies the subject **Dad**. The word **coat** is the **direct object** of the participle **removing**, so it is diagrammed on the horizontal line with the **participle**, separated from it by a short vertical line.

9.3 Gerunds and Gerund Phrases

A **gerund** is a **verbal** that ends in **-ing** and functions as a **noun** in a sentence. Like a noun, a **gerund** can be used as a **subject**, **direct object**, **predicate nominative**, or **object of a preposition**. **Gerunds** and **gerund phrases** usually **never** require any punctuation.

Gerunds: swimming, studying

Subject

Swimming is fun.

Studying is important work.

Direct Object

Caleb enjoys **swimming**.

My brother does not like **studying**.

Predicate Nominative

Our favorite exercise is **swimming**.

An important skill is **studying**.

Object of a Preposition

They were given an award *after* **swimming**.

He learned a large amount *from* **studying**.

A **gerund phrase** is a group of words consisting of a **gerund** and its related words (**modifiers** and **objects**). A **gerund phrase** can be used as a **subject**, **direct object**, **predicate nominative**, or **object of a preposition**.

Gerunds: swimming, studying

Subject

Swimming fast is fun.

Studying for school is important work.

Direct Object

Caleb enjoys **swimming with friends**.

My brother does not like **studying for tests**.

Predicate Nominative

Our favorite exercise is **swimming four laps**.

An important skill is **studying from notes**.

Object of a Preposition

They were given an award *after* **swimming two laps**.

He learned a large amount *from* **studying his math**.

More examples (Gerunds and Gerund Phrases):

Running is good exercise.

*(The gerund **running** is the **subject** in this sentence.)*

Running long distances is no problem for Valeria.

*(The gerund phrase **running long distances** is the **subject** in this sentence.)*

Melanie prefers **hiking**.

*(The gerund **hiking** is the **direct object** in this sentence.)*

The boys enjoy **hiking along the river**.

*(The gerund phrase **hiking along the river** is the **direct object** in this sentence.)*

My uncle's occupation is **cooking**.

*(The gerund **cooking** is the **predicate nominative** in this sentence.)*

Joe's new hobby is **cooking gourmet meals**.

*(The gerund phrase **cooking gourmet meals** is the **predicate nominative** in this sentence.)*

You need good eyes *for* **knitting**.

*(The gerund **knitting** is the **object of the preposition** in this sentence. The **preposition** is **for**.)*

I recently learned *about* **knitting beautiful sweaters**.

*(The gerund phrase **knitting beautiful sweaters** is the **object of the preposition** in this sentence. The **preposition** is **about**.)*

9.4 Diagramming Gerunds and Gerund Phrases

A **gerund** that acts as a **subject**, **direct object**, or **predicate nominative** is placed on a step that sits on a pedestal above the main line where the noun it replaces would be.

Swimming is fun.

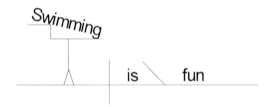

In this example, the gerund **swimming** is the **subject** of the sentence.

Caleb enjoys **swimming**.

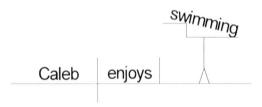

In this example, the gerund **swimming** is the **direct object** of **enjoys**.

Our favorite exercise is **swimming**.

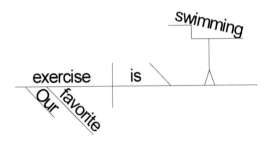

In this example, the gerund **swimming** is the **predicate nominative** in this sentence.

A **gerund** that acts as an **object of a preposition** is placed on a line slanting down from the main horizontal line.

They were given an award after **swimming**.

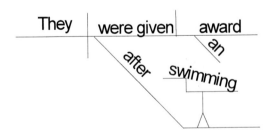

In this example, the gerund **swimming** is the **object** of the preposition **after** in this sentence.

Diagram **gerund phrases** in the same manner as a **gerund**, but extend the stepped line to include any **objects** or **modifiers**.

Swimming fast is fun.

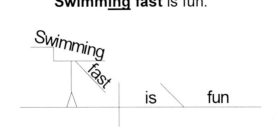

In this example, the gerund phrase **swimming fast** is the **subject** of the sentence.

Caleb enjoys **swimming with friends**.

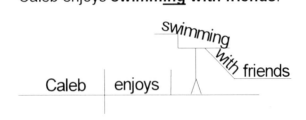

In this example, **swimming with friends** is the **direct object** of **enjoys**.

Our favorite exercise is **swimm<u>ing</u> four laps**.

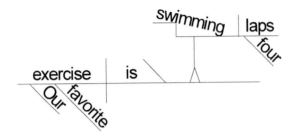

In this example, the gerund phrase **swimming four laps** is the **predicate nominative** of this sentence.

They were given an award *after* **swimm<u>ing</u> two laps**.

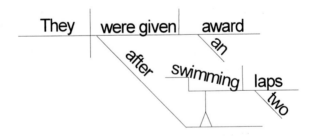

In this example, the gerund phrase **swimming two laps** is the **object** of the preposition **after** in this sentence.

9.5 Infinitives and Infinitive Phrases

An **infinitive** is a **verbal** consisting of the word **to** plus a **verb**. It is usually used as a **noun**.

Like a **noun**, an **infinitive** can be used as a **subject**, **direct object**, or **predicate nominative**.

Infinitives: <u>to</u> win, <u>to</u> travel

Subject

<u>To</u> **win** is our goal.

<u>To</u> **travel** is exciting.

Direct Object

The team wants <u>to</u> **win**.

I love <u>to</u> **travel**.

Predicate Nominative

His ambition is <u>to</u> **win**.

Our dream is <u>to</u> **travel**.

An **infinitive phrase** is a group of words consisting of an **infinitive** and its related words (**modifiers** and **objects**). An **infinitive phrase** can be used as a **subject**, **direct object**, or **predicate nominative**.

Infinitives: <u>to</u> win, <u>to</u> travel

Subject

To win the game is our goal.

To travel through Europe is exciting.

Direct Object

The team wants **<u>to</u> win the big trophy**.

I love **<u>to</u> travel yearly**.

Predicate Nominative

His ambition is **<u>to</u> win tonight**.

Our dream is **<u>to</u> travel the world**.

Infinitives and **infinitive phrases** are often confused with **prepositional phrases** that begin with **to**. Remember, an **infinitive** is **to** followed immediately by a **verb**. A **prepositional phrase** that begins with **to** is followed by a **noun** or **pronoun** and any **modifiers**. There is **no verb** in a **prepositional phrase**.

Infinitive
Phrase: They like <u>**to throw**</u> **balls**.
                                           ↑
                                         Verb

Prepositional
Phrase: They threw a ball <u>**to Pat**</u>.
                                                    ↑
                                                  Noun

In the first example, the phrase **to throw balls** is an **infinitive phrase**. The word **to** is **followed** by the verb **throw**. In the second example, the phrase **to Pat** is a **prepositional phrase**. The word **to** is **followed** by the noun **Pat**. There is **no verb** in this phrase.

More examples:

Infinitive
Phrase: His hobby is <u>**to drive**</u> **fast cars**.
                                       ↑
                                     Verb

Prepositional
Phrase: He drove his car <u>**to the store**</u>.
                                               ↑
                                             Noun

9.6 Diagramming Infinitives and Infinitive Phrases

Like a **gerund**, an **infinitive** is placed on a pedestal above the main line where the noun it replaces would be, but the line upon which the **infinitive** sits is simpler. The word **to** is placed upon the slanted part of the line that attaches to the pedestal.

To win is our goal.

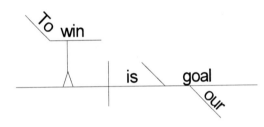

The team wants to win.

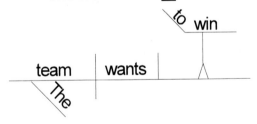

His ambition is to win.

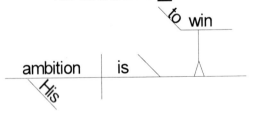

Diagram **infinitive phrases** in the same manner as an **infinitive**, but extend the line to include any **objects** or **modifiers**.

<u>To</u> win the game is our goal.

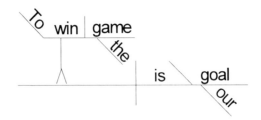

The team wants **<u>to</u> win the big trophy**.

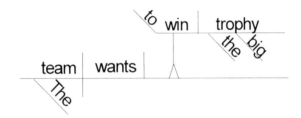

His ambition is **<u>to</u> win the tournament tonight**.

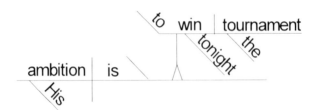

Chapter 9 Review - Part 1

Participles and Participial Phrases: A **participle** is a **verbal** that functions as an **adjective** in a sentence, modifying a **noun** or **pronoun**. The **present participle** of a **verb** can act like an **adjective**. **Present participles** end with **-ing**. Place **participles** as close as possible to the **noun** or **pronoun** they modify. **Past participles** can also act like an **adjective** in a sentence. **Past participles** generally end with **-ed**.

  A **participial phrase** is a group of words consisting of a **present** or **past participle** and its related words (**modifiers** and **objects**). A **participial** phrase acts as an **adjective** in a sentence. Place **participial phrases** as close as possible to the **nouns** or **pronouns** they modify. A **participial phrase** is set off with **commas** when it **interrupts** a sentence as a **nonessential element**. If the **participial phrase** is **essential** to the meaning of the sentence, **no commas** are necessary.

Diagramming Participles and Participial Phrases: **Diagram** a **participle** directly **beneath** the **noun** or **pronoun** it **modifies**. Write the **participle** partially on a **slanted** line and partially on a **horizontal** line that extends from the slanted line.

The **cheering** *crowd* was extremely loud.

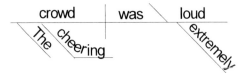

When diagramming a **participial phrase**, extend the horizontal line to include any **objects** or **modifiers**.

The *person* <u>**sitting**</u> **near Brett** is his sister.

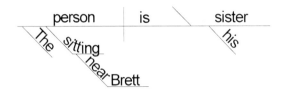

<u>**Gerunds and Gerund Phrases**</u>: A **gerund** is a **verbal** that ends in **-ing** and functions as a **noun** in a sentence. Like a noun, a **gerund** can be used as a **subject**, **direct object**, **predicate nominative**, or **object of a preposition**. **Gerunds** and **gerund phrases** usually **never** require any punctuation.

A **gerund phrase** is a group of words consisting of a **gerund** and its related words (**modifiers** and **objects**). A **gerund phrase** can be used as a **subject**, **direct object**, **predicate nominative**, or **object of a preposition**.

Chapter 9 Review - Part 2

Diagramming Gerunds and Gerund Phrases: A **gerund** that acts as a **subject**, **direct object**, or **predicate nominative** is placed on a step that sits on a pedestal above the main line where the noun it replaces would be.

Swimming is fun.

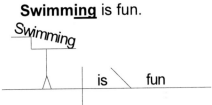

Diagram **gerund phrases** in the same manner as a **gerund**, but extend the stepped line to include any **objects** or **modifiers**.

Swimming fast is fun.

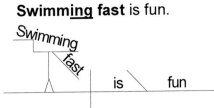

Infinitives and Infinitive Phrases: An **infinitive** is a **verbal** consisting of the word **to** plus a **verb**. It is usually used as a **noun**. Like a **noun**, an **infinitive** can be used as a **subject**, **direct object**, or **predicate nominative**. An **infinitive phrase** is a group of words consisting of an **infinitive** and its related words (**modifiers** and **objects**). An **infinitive phrase** can be used as a **subject**, **direct object**, or **predicate nominative**. **Infinitives** and **infinitive phrases** are often confused with **prepositional phrases** that begin with **to**. Remember, an **infinitive** is **to** followed immediately by a **verb**. A **prepositional phrase** that begins with **to** is followed by a **noun** or **pronoun** and any **modifiers**. There is **no verb** in a **prepositional phrase**.

<u>Diagramming Infinitives and Infinitive Phrases</u>: Like a **gerund**, an **infinitive** is placed on a pedestal above the main line where the noun it replaces would be, but the line on which the **infinitive** sits is simpler. The word **to** is placed on the slanted part of the line that attaches to the pedestal.

<u>To</u> **win** is our goal.

Diagram **infinitive phrases** in the same manner as an **infinitive**, but extend the line to include any **objects** or **modifiers**.

<u>To</u> **win the game** is our goal.

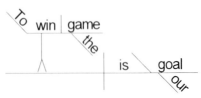

Chapter 10

Capitalization and Punctuation

10.1 Commas Part 1

Use **commas** to set off a **noun of direct address** from the rest of the sentence.

<u>Emilio</u>**,** did you feed the fish?

My family and I went to the ballet**,** <u>Ralph</u>.

Dinner is ready**,** <u>Leonda</u>**,** for you to eat.

Use a **comma** after **introductory words**, **phrases**, and **clauses**.

Introductory
Words: <u>Well</u>**,** I think you are late.

<u>Yes</u>**,** your package arrived today.

Introductory
Phrases: <u>To win the game</u>**,** you must work hard.

<u>Removing his hat</u>**,** Dan went into his house.

Introductory
Clauses: <u>After I finish lunch</u>**,** I must wash dishes.

<u>Before the party ended</u>**,** the boys left.

Use **commas** to separate **three or more items** in a series.

Words: Put the <u>forks,</u> <u>spoons,</u> and <u>knives</u> in the sink.

Phrases: He ran <u>through the field,</u> <u>around the tree,</u> and <u>near the pond</u>.

Clauses: I want to know <u>whom you meet,</u> <u>where you go,</u> and <u>what movie you see</u>.

Use a **comma** and a **conjunction** to join the two **independent clauses** of a **compound sentence**. See Chapter 8.

<u>You washed the car,</u> *and* <u>David raked the leaves</u>.

<u>Ella saw the new movie,</u> *but* <u>she did not enjoy it</u>.

10.2 Commas Part 2

Use **commas** to separate items in a **date**.

Monday, January 2, 1987

April 23, 1994

Use **commas** to separate items in an **address**.

45 South Main Street, Boston, MA

Vienna, Austria

No comma is necessary between the **month** and **year** if **no specific day** is given.

September 2001

June 1989

Use a **comma** after the **last** part of a **date** or **address** when they are included in a sentence.

My brother was born on July 18, 1997**,** during a storm.

September 21, 1996**,** was the day my parents married.

Use a **comma** after the **greeting** in a **friendly letter** and the **closing** of any **letter**.

Dear Aunt Helen**,**

Dear Nicholas**,**

Sincerely**,**

Yours truly**,**

10.3 Commas Part 3

Use **one or more commas** to indicate a **nonessential element** in a sentence.

Word: Dad forgot, however, how to change a tire.

In this case, finally, I have succeeded.

Phrase: Joe, startled by a noise, looked out the door.

Leo, opening the window, saw dark clouds.

Clause: Mr. Lee, who lives next door, sold his car.

Your book, which Sara likes, fell on the floor.

Use a **comma** between a **direct quotation** and the rest of the sentence.

"We watched the ship sail into the harbor," said Trina.

Mom asked, "Did you pack your suitcase?"

Use a **comma** to separate **two or more coordinate adjectives** (see Lesson 4.3).

He was a difficult, stubborn child.

We saw a happy, lively puppy.

Use a **comma** after **time order words**.

First, we bought the ingredients.

Next, we followed the recipe.

Finally, we baked cookies.

10.4 Capitalization

Capitalize the pronoun I.

I found my shoes under the bed.

Phil and I went to the football game.

Capitalize a person's **name** including the **first, middle**, and **last names**.

Juanita

Kendrick **W**illiams

Angelina **E**lizabeth **C**alhoun

Capitalize initials that take the place of **names**. A **period** follows each **initial**.

K. Hendricks

Shannon **S.** Simmons

J. D. James

Capitalize titles that are used immediately **before** a **person's name**. Abbreviated **titles** require a **period**.

Mr. Mendoza

Mrs. Chang

Dr. Cohen

General Davis

Uncle Robert

Grandma Janice

Capitalize the **names** of the **days of the week**, **months of the year**, **holidays**, and **religious holidays**.

Monday	**W**ednesday	**F**riday	**S**unday
January	**A**pril	**O**ctober	**D**ecember
Canada Day	**T**hanksgiving	**B**oxing Day	**L**abor Day
Hanukkah	**E**aster	**D**iwali	**R**amadan

Capitalize geographical and **place names** including **cities**, **states**, **provinces**, **countries**, and **continents**.

Phoenix	Havana	Cairo	Athens
Alabama	Puerto Rico	Guam	Manitoba
Zambia	Croatia	Iceland	Moldova
Antarctica	Africa	Europe	Asia

Capitalize names of **businesses**, **organizations**, **monuments**, and **landmarks**.

Benny's Book Store	Luigi's Italian Restaurant
Little League Baseball	Rotary Club
Great Wall of China	Potala Palace

Capitalize languages, **nationalities**, **religions**, and **religious references**.

Japanese	German	Spanish	French
Hinduism	Judaism	Christianity	Shinto
God	Torah	Brahma	Buddha

10.5 More Capitalization

Capitalize the **first** words of every **sentence**.

Your hair needs to be combed.

That vase is filled with water.

Capitalize the **first** word of a **direct quotation**.

Ricky said, "This watch is new!"

"Have you seen my sunglasses?" asked Monte.

Capitalize the **first** word in every **line** of **poetry**.

Roses are red.

Violets are blue.

Stay away from me.

I have the flu.

Capitalize the **title**, each **topic**, and each **subtopic** of an **outline**.

> Title
> I. **M**ain topic
>   A. **S**ubtopic
>   B. **S**uptopic
>
> II. **M**ain topic
>   A. **S**ubtopic
>   B. **S**ubtopic

Capitalize proper **adjectives**. The **common noun** that **follows** the **proper adjective** is usually **not capitalized**.

Roman architecture   Japanese garden

Indian food   African village

Democratic voter   Republican representative

April showers   Boston police

Capitalize the **first** word in the **greeting** of a **letter** and the **first** word in the **closing** of a **letter**.

> Dear Uncle Mike,
>
>   Dear Sir:
>
>   Your friend,
>
>   Sincerely,

10.6 Words Not Capitalized

Do **not** capitalize names of the **seasons**.

I love **autumn** colors and **winter** winds.

My sister was born in the **spring**.

Dad's favorite season is **summer**.

Do **not** capitalize a **direction** unless it refers to a **specific region**.

Go **west** three blocks and turn right.

Canada is **north** of the United States.

My cousin lives **south** of the river.

We planted flowers on the **east** side of the house.

Specific
Region: We had relatives visit from the <u>**South**</u>.

Do **not** capitalize a **career choice** unless it is used as a **title**.

Our **mayor** visited the hospital.

The **doctor** gave me medicine.

My uncle is a **senator**.

Title: Have you met <u>S</u>enator Johnson?

Do **not** capitalize a **school subject** unless it is a **language** or has a **number** after it.

Yesterday I missed my **math** class.

Brad's favorite subject is **chemistry**.

Does your mother teach **science**?

Language: I enjoy my <u>S</u>panish class.

Includes
a Number: He is taking <u>H</u>istory 101.

10.7 Abbreviations

Abbreviate the **names** of the **days of the week** with a **capital letter** followed by a **period**.

Sunday → **Sun.**   Monday → **Mon.**

Tuesday → **Tues.**   Wednesday → **Wed.**

Thursday → **Thurs.**   Friday → **Fri.**

Saturday → **Sat.**

Abbreviate the **names** of the **months of the year** with a **capital letter** followed by a **period**. **May**, **June**, and **July** are **rarely** abbreviated.

January → **Jan.**   February → **Feb.**

March → **Mar.**   April → **Apr.**

August → **Aug.**   September → **Sept.**

October → **Oct**   November → **Nov.**

December → **Dec.**

Abbreviate other **calendar items** and **clock times**. They are **not capitalized**, but they are **followed** by a **period**.

year → **yr.**   second → **sec.**

month → **mo.**   minute → **min.**

                                          hour → **hr.**

Abbreviate the **time before noon** and **after noon** with **capital** or **lowercase letters**, each **followed** by a **period**.

before noon → **A.M.** or **a.m.**

after noon → **P.M.** or **p.m.**

Write postal **abbreviations** of the **names** of the **50 states**, **Canadian provinces**, and **territories** with **capital letters** and **no period**. Avoid these abbreviations in formal writing.

States

Alabama → **AL**   Kansas → **KS**   New Mexico → **NM**

Arkansas → **AR**   Maine → **ME**   North Dakota → **ND**

Delaware → **DE**   Minnesota → **MN**   South Dakota → **SD**

Idaho → **ID**   Nebraska → **NE**   Virginia → **VA**

Puerto Rico → **PR**   Guam → **GU**

District of Columbia → **DC**   American Samoa → **AS**

<u>Canadian Provinces and Territories</u>

Alberta → **AB**   Northwest Territories → **NT**

Manitoba → **MB**   Prince Edward Island → **PE**

Québec → **QC**   New Brunswick → **NB**

Nova Scotia → **NS**   Yukon Territory → **YT**

Abbreviate geographical terms that come **before** or **after** a **proper noun**.

Street → **St.**   Apartment → **Apt.**

Avenue → **Ave.**   Building → **Bldg.**

Road→ **Rd.**   County → **Co.**

Drive → **Dr.**   District → **Dist.**

Route → **Rte.**   National → **Natl.**

Highway → **Hwy.**   Mountain → **Mt.**

Railroad → **R.R.**   Post office → **P.O.**

Abbreviate the **names** for **units** of **measure**. These abbreviations are followed by a period, but they are not capitalized. The **abbreviation** for **Fahrenheit** is the **exception** to this rule.

inch → **in.**	ounce → **oz.**
foot → **ft.**	pound → **lb.**
yard → **yd.**	pint → **pt.**
mile → **mi.**	quart → **qt.**
height → **ht.**	gallon → **gal.**
weight → **wt.**	teaspoon → **tsp.**
dozen → **doz.**	tablespoon → **tbsp.**
Fahrenheit → **F.**	

Abbreviate metric measurements with **lowercase** letters followed by **no period**. Capitalize the **abbreviations** for **liter** and **Celsius**.

millimeter → **mm**	gram → **g**
centimeter → **cm**	kilogram → **kg**
meter → **m**	liter → **L**
kilometer → **km**	Celsius → **C**

10.8 Titles

The **first word**, **last word**, and **all important words** in a **title** should be **capitalized**. **Short** words such as **a**, **an**, **and**, **the**, and **but** are **not capitalized** unless they are the **first** or **last word** in a title.

Place **quotation marks** around the **titles** of **short stories**, **poems**, **newspaper stories**, **songs**, and **chapters** of a **book**.

Short
Story: "How the Leopard Got His Spots"

Poem: "Stopping by Woods on a Snowy Evening"

Newspaper
Story: "Lost Cat Finds Way Home"

Song: "All I Have To Do Is Dream"

Book
Chapter: "A Friend for Life"

Underline the **titles** of **books**, **magazines**, **newspapers**, **plays**, **movies**, **television shows**, **paintings**, or **sculptures**.

These **titles** appear in **italics** in **printed materials**.

Book: Moby Dick

Magazine: National Geographic

Newspaper: Washington Post

Play: The Merchant of Venice

Movie: To Kill a Mockingbird

Television
Show: I Love Lucy

Painting: Lady Writing a Letter

Sculpture: Venus de Milo

10.9 Semicolons and Colons

Semicolons

Use a **semicolon** to **join** the **independent clauses** of a **compound sentence** instead of a **coordinating conjunction** and a **comma**. See Lessons 1.6 and 8.2.

You washed the car; David raked the leaves.

Ella saw the new movie; she did not enjoy it.

Use a **semicolon**, instead of a **comma**, with a **coordinating conjunction** between the **independent clauses** of a sentence when there are **commas** within the **clauses**.

Ana is allergic to roses, daisies, and violets; *but* she still buys them.

Elizabeth ate bacon, toast, and jam; *and* her brother ate hot eggs.

Use a **semicolon** to join **independent clauses** when the second **clause** begins with a **conjunctive adverb** such as **however, also, otherwise, instead, still, consequently, finally, meanwhile, then, furthermore, therefore, nevertheless,** or **thus**.

He has talent; **therefore,** he practices the piano daily.

George bought that book; **then,** he let me borrow it.

Colons

Use a **colon** between the **hour** and the **minute** in **time**.

6:23 a.m.

2:15 p.m.

Use a **colon** after the **greeting** of a **business letter**.

Dear Sir:

Dear Madam:

Use a **colon** before a **list** of three or more **items**.

My uncle teaches the following subjects: art, music, and math.

There were four winners in the contest: Desiree, Walter, Talia, and Huong.

Do **not** use a **colon** immediately after a **verb** or a **preposition**. Either leave out the colon or reword the sentence.

Incorrect: My uncle teaches: art, music, and math.

Take Out
Colon: My uncle teaches art, music, and math.

Reword: My uncle teaches the following subjects: art, music, and math.

Chapter 10 Review - Part 1

Commas Part 1: Use **commas** to set off a **noun of direct address** from the rest of the sentence. Use a **comma** after **introductory words**, **phrases**, and **clauses**. Use **commas** to separate **three or more items** in a **series**. Use a **comma** and a **conjunction** to join the two **independent clauses** of a **compound sentence**.

Commas Part 2: Use **commas** to separate items in a **date**. Use **commas** to separate items in an **address**. **No comma** is necessary between the **month** and **year** if **no specific day** is given. Use a **comma** after the **last** part of a **date** or **address** when they are included in a sentence. Use a **comma** after the **greeting** in a **friendly letter** and the **closing** of any **letter**.

Commas Part 3: Use **one or more commas** to indicate a **nonessential element** in a sentence. Use a **comma** between a **direct quotation** and the rest of the sentence. Use a **comma** to separate **two or more coordinate adjectives**. Use a **comma** after **time order words**.

Capitalization: **Capitalize** the pronoun **I**. **Capitalize** a person's **name** including the **first**, **middle**, and **last**

names. Capitalize initials that take the place of **names.** A **period** follows each **initial. Capitalize titles** that are used immediately **before** a **person's name.** Abbreviated **titles** require a **period. Capitalize** the **names** of the **days of the week, months of the year,** holidays, and **religious holidays. Capitalize geographical** and **place names** including **cities, states, provinces, countries,** and **continents. Capitalize names** of **businesses, organizations, monuments,** and **landmarks. Capitalize languages, nationalities, religions,** and **religious references.**

<u>More Capitalization</u>: **Capitalize** the **first** words of every **sentence. Capitalize** the **first** word of a **direct quotation. Capitalize** the **first** word in every **line** of **poetry. Capitalize** the **title,** each **topic,** and each **subtopic** of an **outline. Capitalize** proper **adjectives.** The **common noun** that **follows** the **proper adjective** is usually **not capitalized. Capitalize** the **first** word in the **greeting** of a **letter** and the **first** word in the **closing** of a **letter.**

Chapter 10 Review - Part 2

Words Not Capitalized: Do **not** capitalize names of the **seasons**. Do **not** capitalize a **direction** unless it refers to a **specific region**. Do **not** capitalize a **career choice** unless it is used as a **title**. Do **not** capitalize a **school subject** unless it is a **language** or has a **number** after it.

Abbreviations: **Abbreviate** the **names** of the **days of the week** with a **capital letter** followed by a **period**. **Abbreviate** the **names** of the **months of the year** with a **capital letter** followed by a **period**. **May, June,** and **July** are **rarely** abbreviated. **Abbreviate** other **calendar items** and **clock times**. They are **not capitalized**, but they are **followed** by a **period**. **Abbreviate** the **time before noon** and **after noon** with **capital** or **lowercase letters**, each **followed** by a **period**. Write postal **abbreviations** of the **names** of the **50 states, Canadian provinces,** and **territories** with **capital letters** and **no period**. Avoid these abbreviations in formal writing. **Abbreviate geographical terms** that come **before** or **after** a **proper noun**. **Abbreviate** the **names** for **units** of **measure**. These abbreviations are followed by a period, but they are not capitalized. The **abbreviation**

for **Fahrenheit** is the **exception** to this rule.
Abbreviate metric measurements with **lowercase**
letters followed by **no period**. Capitalize the
abbreviations for **liter** and **Celsius**.

<u>Titles</u>: The **first word, last word**, and **all important
words** in a **title** should be **capitalized**. **Short** words
such as **a, an, and, the**, and **but** are **not capitalized**
unless they are the **first** or **last word** in a title. Place
quotation marks around the **titles** of **short stories,
poems, newspaper stories, songs**, and **chapters** of
a **book**. **Underline** the **titles** of **books, magazines,
newspapers, plays, movies, television shows,
paintings**, or **sculptures**. These **titles** appear in
italics in **printed materials**.

<u>Semicolons and Colons</u>: Use a **semicolon** to **join** the
independent clauses of a **compound sentence** when
a **coordinating conjunction** and a **comma** do **not** join
the clauses. Use a **semicolon**, instead of a **comma**,
with a **coordinating conjunction** between the
independent clauses of a sentence when there are
commas within the **clauses**. Use a **semicolon** to join
independent clauses when the second **clause** begins
with a **conjunctive adverb** such as **however, also,
otherwise, instead, still, consequently, finally,**

meanwhile, then, furthermore, therefore, nevertheless, and **thus.** Use a **colon** between the **hour** and the **minute** in **time.** Use a **colon** after the **greeting** of a **business letter.** Use a **colon** before a **list** of three or more **items.** Do **not** use a **colon** immediately after a **verb** or a **preposition.** Either leave out the colon or reword the sentence.

<<This page intentionally left blank.>>